FRANZ ALTHEIM

ROMAN VND DEKADENZ

1951
MAX NIEMEYER VERLAG · TÜBINGEN

Erweiterter Sonderdruck aus:

„Literatur und Gesellschaft im ausgehenden Altertum"

Band 1

49801

Herstellung: Graphische Kunstanstalt Jos. C. Huber KG., Diessen vor München

Der Verfasser bekennt vorweg, daß er kein Romanleser im ursprünglichen Sinne ist. Er hat sich, zumal in jüngeren Jahren, niemals hingezogen gefühlt, ein derartiges Buch in die Hand zu nehmen und sich unbefangen, behaglich dem Genuß hinzugeben, den es zu vermitteln vermöchte. Seine Stellung zum modernen Roman hat er erst in langen Jahren, und innerhalb dieser in verschiedenem Tempo, gewonnen. Sie ist dadurch reflektierter geworden und sie hält mehr Abstand von ihrem Stoff, als es vermutlich bei der Mehrzahl seiner Zeitgenossen der Fall ist. Ein griechisches oder lateinisches Buch, oft zwanzig oder mehr Jahrhunderte zurückliegend, konnte ihn weit mehr fesseln und schien oft Akuelleres zu enthalten als der letzterschienene Giono oder Huxley.

Wer sich mit der antiken Literatur beschäftigt, wird es selten um der antiken Romane willen tun. Nicht, daß es an solchen fehlte. Aber der Roman war im Altertum als eigene Gattung nicht anerkannt und seine einzelnen Vertreter wenig geschätzt. Demzufolge haben sich die Neueren selten mit dem Gegenstand beschäftigt. Es waren Byzantinisten und Orientalisten, Volkskundler und Religionsforscher, die sich ihm zuwandten. Den Gräzisten vermochten, wie die Bücher von Erwin Rohde und Eduard Schwartz zeigen, allenfalls die Entstehungs- und Vorgeschichte des Romans zu fesseln, — jene Stadien, die ihn mit den klassischen Werken der Literatur verknüpften, nicht aber, was an antiken Romanen wirklich vorhanden war.

Umgekehrt verhält es sich mit dem modernen Roman. Er steht im Mittelpunkt aller literarischen Betätigung und führt auf dem literarischen Markt. Umfragen bei Schriftstellern, woran sie zur Zeit schrieben, ergeben mit ermüdender Regelmäßigkeit die Antwort, man arbeite an einem Roman. Läßt sich, was vom antiken Roman vorhanden ist, in ein paar schmalen Bänden zusammenfassen, so ist die Zahl dessen, was allein seit dem ersten Weltkrieg erschien, Legion und es ist mehr. Jahrhunderte haben aus der antiken Literatur all das ausgeschieden, was nicht hohen Ranges war, während in der heutigen Zeit die Makulatur sich zu Bergen türmt. Ist es verwunderlich, daß ein Fremdling diese Berge scheu umging?

Der Verfasser hat den Zugang nicht durch massenhaftes Lesen von Romanen, nicht auf diesem natürlichen Weg, sondern von der Theorie her gewonnen. Das mag vor einem passionierten Leser und Konsumenten solcher Bücher als Nachteil gelten. Gleichwohl legt der Verfasser Wert darauf, diesen ungünstigen Umstand zu unterstreichen. Er wünscht in der Tat, Abstand zu halten, den modernen Roman weniger vom Standpunkt des Zeitgenossen als von dem des Historikers aus zu betrachten. So mag es ihm denn verstattet sein, das arabische Sprichwort, wonach ein jeder seine Läuse für Gazellen hält, auf den eigenen Fall anzuwenden und in dem, was auf den ersten Blick ein Hindernis scheinen könnte, den Rechtstitel für eine Betrachtungsweise zu erblicken, die ihm am Herzen liegt.

1

Innerhalb des literarischen Schaffens nimmt der Roman seit dem Ende des vorigen Jahrhunderts die beherrschende Stellung ein. Er hat sie bis heute bewahrt, sie eher noch gefestigt. Die Zeiten liegen weit zurück, da Schiller vom Romanschreiber als dem Halbbruder des Dichters sprechen konnte. Heute hat dieser um seine Anerkennung nicht mehr zu kämpfen. Im Gegenteil: der Roman hat die anderen Gattungen, wenn nicht verdrängt, so doch in den Hintergrund geschoben. Auch von den Künsten gilt der Satz, daß der Geist wehet, wie er will. Goethe hat nur drei Romane geschrieben, und Keller und Stifter, geborene Erzähler, sogar nur zwei. Aber wie es Zeiten gibt, deren literarisches Bild Novelle oder Lyrik, Epos oder Drama bestimmen, so mag es auch solche geben, für die der Roman kennzeichnend ist.

Es kommt hinzu, daß der einstmals unebenbürtige Roman sich längst aus den Niederungen, darin er blühte, zur großen Form erhoben hat. Auch die Zeiten des Ritter-, Gespenster- oder Liebesromanes sind vorüber. Literarischer Roman und Gebrauchsroman haben sich endgültig getrennt. Der große Roman spiegelt heute eine Ganzheit der Lebenserfahrung wider; er kann ohne Weltweite und Weltoffenheit nicht geschrieben werden. In immer stärkerem Maß prägt sich in ihm die Fülle des Lebens aus. Bewältigung eines umfassenden Stoffes und ein großer, weitgespannter Aufbau werden fast überall erstrebt.

Der inneren Form entspricht der äußere Umfang. Eine Zahl von zwei und mehr Bänden wird eher gesucht als gemieden. Die Dickleibigkeit, die dem Verleger der „Buddenbrooks" einst Bedenken einflößte, dürfte heute als Empfehlung gelten. Es bleibe ungefragt, ob die Masse des oft wenig gebändigten Stoffes einem stärkeren Formzwang den Platz räumen müsse. Es genügt, daß ein gewaltiger Stoff — und nicht nur dies: daß darüber hinaus eine Masse an Beobachtungen, Bekenntnissen, an Gestaltung und einem oft erstaunlichen Können aufgehäuft ist, an der keine Betrachtung, die der geistigen Lage der Zeit sich zuwendet, vorübergehen kann.

Der Roman entspringt in erster Linie einem neuen Stoffandrang, hat man gesagt. Schon seiner literarischen Form nach mutet er zuweilen wie ein Sammelname an, der Erscheinungen umfaßt, die sich richtiger als geschichtliche oder Familienchronik, als Lebensbeschreibung oder Erinnerungen, als Tatsachenbericht oder einfach als Erzählung bezeichnen ließen. Aber auch inhaltlich ist der moderne Roman zu einem Sammelbecken geworden, in das aus allen geistigen und Lebensbereichen Ströme münden. Es melden sich Psychologie und Psychoanalyse, Soziologie und Geldwesen, Politik und Mythologie zum Wort, und nicht leicht wäre es, die Aufzählung zu vervollständigen. Wie in einem Spiegel faßt der Roman den gesamten Zeitgeist in sich. Keine andere Ausdrucksform kommt ihm darin gleich.

Eine derart umfassende Haltung konnte auch nach außen nicht ohne Wirkung bleiben. Der Roman nahm nicht nur die Anregungen auf, die ihm von den verschiedensten Seiten aus zugingen. Er zahlte, und oft mit Gewinn, zurück, was ihm zugekommen war. Die geschichtliche Darstellung — im Lebensbild, aber auch in der zuständlichen Schilderung — hat vom Roman gelernt und von den Kunstmitteln, die er ausgebildet hat, Gebrauch gemacht. Kunst- und Literaturgeschichte, selbst die Darstellung wirtschaftsgeschichtlicher und soziologischer Fragen sind nicht unbeeinflußt geblieben. Die beherrschende Stellung des Romans, von der zuvor gesprochen wurde, hat in einer allgemeinen Belebung, die auf die Nachbargebiete überströmte, ihren Ausdruck erhalten.

2

Der Roman, so stellten wir fest, bildet seit drei bis vier Menschenaltern die selbstverständliche Form literarischer Hervorbringung und lesender Aufnahme. Über dieser Selbstverständlichkeit hat man vergessen, einen Anlaß zum Fragen zu finden. Zweifellos hat der Roman eine Macht dargestellt und stellt sie noch dar. Da er aber nicht mit ausdrücklichem Anspruch auftritt, bemerkt der Leser nicht, daß er gelenkt und in seinem Weltbild bestimmt wird. Bewußt oder unbewußt kommen Schriftsteller und Leserwelt sich entgegen und stellen sich der Selbstbesinnung in den Weg.

Was besagt diese Herrschaft des Romans?

Es ist noch nicht bemerkt worden, daß sie zeitlich mit einer immer drängenderen Erörterung des Dekadenzproblems zusammenfällt. Montesquieu konnte noch über Größe und Verfall des Römerreiches schreiben (1734); Gibbon, der Zeitgenosse der Nouvelle Héloise und des Werther, gab das Bild von Roms „Decline and Fall". In seiner Lebensbeschreibung erzählt er, wie auf der Suche nach einem großen und würdigen Gegenstand ihn das entscheidende Gesicht überkam: am Fuß des Kapitols, als im einstigen Tempel des Jupiter Optimus Maximus die Bettelmönche psalmodierten ... Damals, so sagt er, „stieg der Gedanke, über die Abnahme und den Verfall des Staates zu schreiben, in meiner Seele auf." Gibbon steht an einer europäischen Wende. Das Thema, einmal angeschlagen, ist seitdem nicht mehr verklungen. Über Tocqueville und Taine, über Burckhardt und Nietzsche geht die Reihe bis zu Oswald Spengler.

Gewiß haben sich Ranke, Mommsen und Droysen in weit stärkerem Maße die Anerkennung der Zünftigen errungen. Aber die Wirkung, die die Gedanken der anderen fanden, war breiter und nachhaltiger, so wenig man es innerhalb der Fachwissenschaft wahrhaben wollte. Sie haben tiefer in die geschichtliche Wirklichkeit eingegriffen, die über Rankes christlich-spätromantischen Konservatismus, Mommsens demokratisches Kaisertum zur Tagesordnung überging. Denn Gibbons Erkenntnis, daß der Untergang des Römerreiches und das Emporkommen des Christentums *wesenhaft* zusammenfielen, war ein Stich, der saß. Niebuhr sprach, in der Vorrede zum dritten Band seiner „Römischen Geschichte", das seherische Wort aus, daß für Europa eine „Zerstörung" bevorstehe, „wie sie die römische Welt um die Mitte des 3. Jahrhunderts unserer Zeitrechnung erfuhr." Vollends das Zusammentreffen von Burckhardt, Nietzsche und Taine kam in seiner Wirkung einem Erdrutsch gleich ...

Die Gedanken dieser Männer bis herab zu denen Spenglers haben leidenschaftlichen Widerspruch erfahren. Aber was hätte dies zu besagen? Darlegungen, die nur Wahres geben oder zu geben vermeinen, sind meist konventionell. Sie wiederholen oder führen aus, was in den Bestand anerkannter Anschauungen bereits aufgenommen war. Man weiß um die Bücher, die von der Fachkritik gepriesen, ruhmlos in die Vergessenheit eingehen. Die Geschichtsschreiber der Dekadenz dagegen haben Widerspruch erfahren, weil sie eine Wirklichkeit schmerzhaft ins Bewußtsein riefen.

Nietzsche hat sich selbst als Verhängnis gefühlt. In apokalyptischen Bildern hat er das Kommende aufgerufen. „Unsere ganze europäische Kultur bewegt sich seit langem schon mit einer Tortur der Spannung, die von Jahrzehnt zu Jahrzehnt wächst, wie auf eine Katastrophe los: unruhig, gewaltsam, überstürzt: wie ein Strom, der ans Ende will, der sich nicht mehr besinnt, der Furcht davor hat, sich zu besinnen." Wir heute haben dem nichts hinzuzufügen. Alles was seitdem geschehen ist, bestätigt, daß damit an eine Wirklichkeit — eine furchtbare Wirklichkeit gerührt war. Der zeitliche Zusammenfall der Herrschaft des Romans mit dem des Dekadenzproblems gewinnt an Gewicht. Sollte mehr als ein Nebeneinander, sollte ein wesenhafter Zusammenhang bestehen?

Der amerikanische und der russische Roman seien ausgenommen: sie stehen, wenn auch aus verschiedenen Gründen, auf einem anderen Blatt. Es geht allein um das Abendland im ausgehenden 19. und im 20. Jahrhundert. Hier springt der antike Roman ein. Auch er war einmal eine literarische und gesellschaftliche Macht. Er war es zumal während des Überganges vom 2. zum 3. Jahrhundert. Und wieder fiel seine Zeit mit einer solchen des Niedergangs zusammen. Aus dieser Übereinstimmung muß sich die Antwort ergeben. Jacob Burckhardt hat den antiken Roman bereits als Form des Verfalls angesprochen.

Aber dasselbe 19. Jahrhundert sah neben der Abendröte einer sinkenden Kultur eine Reihe von Sehern und Erkennenden, die das Heraufkommen einer neuen Welt kündeten. Nietzsche hatte in immer neuer Schau das Ende der ruhigen Friedenszeit, den Ausgang der spätbürgerlichen, klassischen und nachklassischen Zeit vorausgesagt. Derselbe Nietzsche sprach aus, „daß jetzt ein paar kriegerische Jahrhunderte aufeinanderfolgen dürften, die in der Geschichte nicht ihresgleichen haben, kurz, daß wir ins klassische Zeitalter des Krieges getreten sind, des gelehrten und zugleich volkstümlichen Krieges im größten Maßstabe". Auch das 3. Jahrhundert trug dieses Doppelgesicht. Auch da kündigt sich eine neue, kriegerische Zeit an. Auch ihr sollte die Zukunft gehören.

Aber weder hier noch dort trug der Roman zum Erstehen der Zukunft bei. Er verschwand nicht. Romane wurden weiter geschrieben und gelesen. Aber sie bauten an dem, was da kommen sollte, nicht mit.

3

Für die klassische Stillehre hat der Roman niemals zu den literarischen Gattungen gerechnet. Er begegnet weder in der Poetik des Aristoteles noch in der des Horaz, weder bei Malherbe noch bei Boileau. Das bedingt, daß er keinem Gesetz einer Gattung unterliegt. Goethe nannte den Roman eine „subjektive Epopöe, in welcher der Verfasser sich die Erlaubnis ausbittet, die Welt nach *seiner* Weise zu behandeln" (Maximen und Reflexionen). Nie wurde dem Roman die Einheit von Ort und Zeit, nie eine strenge Wortwahl, vergleichbar der des Epos oder der chorischen Lyrik, auferlegt. Doch auch die Novelle hat in jenen Kunstlehren keinen Platz gefunden, und trotzdem besitzt sie ihr Stilgesetz. Ihre Handlung muß logisch aufgebaut, ihre Sprache muß einheitlich und sie muß rein und durchsichtig sein. Verstöße dagegen bedeuten eine Einbuße für das Kunstwerk als Ganzes. Es ist, als wollte man einem Glockenguß unedles Metall beimischen. Aber der Roman?

Balzacs Sprache, sagt Taine, „ist ein gigantisches Chaos. Hier findet sich alles: Künste, Wissenschaften, Berufe, die ganze Geschichte, Philosophie und Religion. Es gibt nichts, das ihm nicht Worte zugeführt hätte. In zehn Zeilen hat man die vier Enden der Welt und des Denkens durchlaufen. Ein Einfall nach Art Swedenborgs findet sich neben einem Bild aus der Welt des Fleischers oder des Chemikers, und zwei Zeilen weiter das Ende einer philosophischen Tirade neben einer Zote oder ein Schatten von Empfindsamkeit neben der halbangedeuteten Schau eines Malers oder einer musikalischen Periode."

Und doch bezeugt der Theoretiker des französischen Romans Paul Bourget, Balzacs Werke seien gut geschrieben — als Romane. Denn der Stil des Romans könne nicht, ohne sein Wesen zu verfälschen, an das *poème en prose* erinnern. Er müsse etwas vom Laboratorium und der Klinik an sich haben, wie die Beobachtungen, die der Romanschriftsteller verwende. Die *petits faits*, die dieser zusammenbringe, vertrügen eine Ausfeilung ebensowenig wie irgendeinen Rhythmus oder eine allzugenaue Wortwahl.

Bei dem Meister des römischen Romans zeigt sich ein ähnliches Bild. Petron gibt neben der eleganten, etwas saloppen Sprache des Erzählers Encolpius das gepflegte Latein des Dichters und Gelehrten Eumolpus. Der literarischen Sprache zur Seite steht die Umgangssprache der gebildeten Welt. Demgegenüber Trimalchio und der Kreis der Freigelassenen: der Ehrgeiz höherer Sprachgestaltung fehlt ihnen keineswegs, aber gerade Trimalchio, der ihn betätigt, erleidet kläglichen Schiffbruch. Weiter gibt es paratragische und überhaupt parodische Partien, dann wieder solche, in denen die tragische oder rhetorische, sentimentale oder pathetische Färbung ernst genommen sein will. Und je nach dem Stoff wendet sich die Sprache ins Burleske oder ins Phantastische oder Schlüpfrige: sie scheut sich auch vor Verseinlagen nicht. In der Mischung der Sprachstile, einer bewußten und erstrebten Mischung begegnen sich moderner und antiker Roman.

Aber mag auch die Sprache des Romans uneinheitlich sein und zuweilen einem „gigantischen Chaos" gleichen, so fällt sie doch nicht mit Formlosigkeit zusammen. Des Longus zierliche Anmut und liebliche Einfalt zeigen dies ebenso wie der anspruchsvolle Stil eines Apuleius oder Heliodor. Die mit Korrekturen bedeckten Druckfahnen der Romane Balzacs sind Denkmale seines Ringens um die sprachliche Gestaltung. Flaubert konnte seinem Wahn stilistischer Vollendung Jahrzehnte opfern ... Es besteht also eine Form auch des Romans, die denen, die Romane schreiben oder über das Wesen des Romans nachdenken, irgendwie vor Augen steht. Man muß sie nur zu deutlichem Umriß erheben.

Es gibt eine epische und eine tragische Sprache, aber es gibt keine Sprache des Romans. Doch das besagt lediglich, daß der Sprachstil von Epos und Tragödie allgemeinen Normen unterliegt, die ihn scharf abgrenzen. Im Gegensatz zur *geschlossenen* Form dieser Gattungen eignet dem Roman die *offene* Form (G. Lukács).

Man könnte sie auch als eine Form oder Haltung des Suchens bezeichnen. Während Epos und Tragödie dem, was sich ihrem Stilgesetz nicht fügt, ein ausschließendes Nein entgegensetzen, öffnet sich der Roman den verschiedensten Einflüssen. Als Kosmopolit unter den Gattungen, der die Schranken eigenständigen Wesens durchbricht, gewährt er allen Stilen und sprachlichen Formen Heimstatt. Ein später, aber dankbarer Erbe übernimmt er, was immer sich verwerten läßt. Zuweilen gleicht er gar dem Lumpensammler der Literatur, der es nicht verschmäht, mit dem Flitter und dem verblichenen Prunk sich herauszuputzen, dessen sich die exklusiveren und vornehmeren Gattungen längst entäußert haben.

Es bleibt eine auffallende Tatsache, daß der Roman, wo immer er auftrat, zunächst als unvornehm empfunden wurde. Die Chinesen betrachten ihn, verglichen mit den Klassikern, der Dichtung überhaupt, als Ausdruck geistigen Niederganges. Sie schreiben das Aufkommen des Romans — ob mit Recht, bleibe unerörtert — der Mongolendynastie und deren geringer Kultur zu. Auch in der Welt des Islam wird er von den führenden Schichten abgelehnt. Man verlangt von einem literarischen Werk, daß es inhaltlich und formal einem bestimmten Zweck diene, und bloße Unterhaltung wird als solcher nicht anerkannt. So gedeihen Romane nur in den Niederungen des literarischen Lebens. Ihre Urheber nennen sich nicht oder schieben große Namen der Vergangenheit vor. Auch in der Antike nahm der Roman den bestehenden Gattungen gegenüber einen niedrigeren Rang ein.

Eben das Fehlen einer festen sprachlichen Form, das Fehlen jeder stilistischen Exklusivität und die Bereitschaft, von allen Seiten her zu nehmen, muß zu diesem Urteil beigetragen haben. Erst in ihrem Stilempfinden nachlässiger gewordene Zeiten waren bereit, darüber hinwegzusehen. Die Antike hat das niemals getan. Aber auch die islamische Gelehrsamkeit läßt diese Erzeugnisse links liegen. Der Roman gehört für sie nicht zum schulmäßig überlieferten Gut. Seine sprachliche Form, ohnedies nicht gefestigt, ist damit allen Zufällen der Verwahrlosung preisgegeben.

Aber derselbe Roman hat, wo und wann er auftrat, einen Erfolg gehabt, um den ihn die anderen Gattungen, wenn sie ehrlich waren, beneiden mußten. Die so verachteten arabischen Romane werden bis zum heutigen Tage von Geschichtenerzählern vor einem höchst aufnahmefreudigen Publikum vorgetragen. Seit der Einführung des Buchdruckes werden sie massenweise in billigen Heften vertrieben. Als der erste Teil des Don Quijote erschien, riß man ihn sich aus den Händen; man druckte und ahmte

ihn nach. Die Riesenauflagen der Romane des 19. und
20. Jahrhunderts sind bekannt. Für das ausgehende Altertum zeigen die Papyri ein ähnliches Bild. „Ein Roman, der nicht ‚geht', hat seinen Beruf verfehlt" (K. Voßler). Was war die Ursache dieses Erfolges?

Der Gründer des Islam soll gesagt haben, daß, wenn am Tage des Gerichtes ein Maler vor Gottes Thron stehe, Gott ihm befehlen werde, die Geschöpfe seiner Kunst lebendig werden zu lassen. Dann werde dieser Erbärmliche gestehen müssen, daß er dazu nicht fähig sei; daß er sich in gotteslästerlicher Weise die Rechte dessen angemaßt habe, dem es allein zustehe, Leben einzuflößen. Dafür werde der Maler in die Hölle gestoßen werden, um dort für immer Pein zu leiden.

Ich bin nicht sicher, ob eine ähnliche Aussicht einen der großen Meister des Romans hätte schrecken können. Männer dieses Schlages tragen das Bewußtsein in sich, Leben und mit ihm eine eigne Welt zu schaffen. „Es fällt schwer, sich plötzlich und endlich von Menschen zu trennen, mit denen man so lange zusammengelebt hat", sagt entschuldigend der Autor der Forsyte-Saga, als er ihr noch weitere Geschichten nachsandte. Als ein Mitarbeiter ihm von der tödlichen Erkrankung seines Vaters berichtete, entgegnete Balzac: „Alles gut und schön! Aber kehren wir zur Wirklichkeit zurück, sprechen wir von Eugénie Grandet!" Diese und ähnliche Äußerungen sind keine „Eigenschaft des kindlichen Seelenlebens", kein „Rudiment einer früheren Existenzphase", wie eine Auslegung es wollte. Wer wie Balzac sprach, hatte das Bewußtsein, Schöpfer zu sein — ein gottähnliches Bewußtsein, das das eigene Werk gleichberechtigt neben die Welt treten ließ.

Nietzsche wirft einmal die Frage auf: „Warum erdichtet man nicht ganze Geschichten von Völkern, von Revolutionen, von politischen Parteien. Weshalb rivalisiert der Dichter des Romans nicht mit dem Historiker? Hier sehe ich eine Zukunft der Dichtkunst."

Der Roman schafft also und bedeutet eine eigene Welt. Diese Welt erfüllt ihren Schöpfer und fesselt ihren Leser so stark, daß sie ihnen zeitweilig die „wirkliche" ersetzt. Diese Besonderheit der Romanwelt ist das Geheimnis ihres Erfolges. Sie vermag etwas zu geben: eine Illusion oder vielmehr eine neu gelebte Wirklichkeit, der die anderen Gattungen nichts Ähnliches zur Seite stellen können.

Man wird einwenden, es gebe eine Welt des Epos und der Tragödie, wie es eine solche des Romans gibt. Aber hier wiederholt sich der Unterschied, der die epische oder tragische Sprachform von der des Romans trennt. Der formalen Verschiedenheit entspricht die inhaltliche. Richtiger: von der formalen Verschiedenheit muß, wenn diese nicht bloße Willkür, bloßes ästhetisches Spiel bleiben soll, verlangt werden, daß sie sich auf eine inhaltliche Verschiedenheit der Gattungen gründe. Wie die tragische Sprache nur eine Auswahl von Worten zuläßt, so stellt die tragische Welt, die dramatische überhaupt einen Ausschnitt aus der wirklichen dar. Die Charaktere im Drama sind „kontrapunktische Notwendigkeiten. Der dramatische Charakter ist eine Verengerung des wirklichen." Dagegen bleibt ein Kennzeichen des Romans die Breite. Er scheut sich vor Umwegen und Einlagen nicht, auch wenn sie sich dem geradlinigen Gang des Geschehens in den Weg stellen.

Das war schon die Anschauung der späten Antike. Photios schickt seiner Wiedergabe von Antonius Diogenes' Thuleroman ein literarisches Urteil voraus, das auf diese Zeit zurückgehen mag. Darin wird das Buch als *dramatikón* bezeichnet. Die Ausdrucksweise sei sauber und klar. Aber sie verliere ihre Ebenmäßigkeit und Ordnung in den zahlreichen Abschweifungen, die die Erzählung durchlaufe. Sprachliche Gestaltung und Gesamtaufbau entsprechen sich also nach diesem Urteil. Die *eukríneia* des Ausdrucks und des Aufbaus gingen bei dem Roman — zumindesten dort, wo er sich selbst fand — gleichermaßen verloren.

Das bleibt zunächst eine negative Kennzeichnung. Aber hinter dem scheinbaren Mangel strömt in Wahrheit ein großer und mächtiger Atem. Der Roman gibt Schicksale, hat man gesagt, und diese darf man nicht mit Katastrophen verwechseln. Die Katastrophe als symbolischer Aufbau ist Sache des Dramatikers. Aber Schicksale bedeuten: das Lebendige in seiner Unerschöpflichkeit, das Grenzenlose, die alles durchwirkenden Mächte.

Das Drama, insbesondere die Tragödie, versammelt die Strahlen in einem einzigen Brennherd. Es erzeugt eine hohe, aber räumlich beschränkte Glut. Es gibt einen Ausschnitt, nicht ein Gleichnis der wirklichen Welt. Es kann die Wirklichkeit blitzartig erhellen und sie auf eine für den Dramatiker wesentliche Formel zurückführen. Aber das Drama kann nie eine andere und eigne Welt neben die „wirkliche" setzen. Man kann von einer Tragödie ergriffen, erhoben und gereinigt werden, aber man kann in ihr nicht leben. Leben kann man allein im Roman.

Denn dies hat der Roman mit der Wirklichkeit gemeinsam: die außerordentliche Fülle des Stoffes und der Möglichkeiten. Große Romanschöpfungen spannen darum von vornherein ihren Rahmen weit. Ihre Urheber müssen einen langen Atem haben, und wenn von irgendeinem, so gilt von ihnen Baudelaires Wort: *L'inspiration c'est de travailler tous les jours.* Der Roman verlangt Masse, Umfang und Gewicht. Balzacs *Comédie humaine* war von dieser Art. In den Entwürfen tritt als Grundgedanke hervor: vom seelischen, gesellschaftlichen und metaphysischen Gesichtspunkt aus ein Gesamtbild der Menschheit zu geben — einheitlich und doch gegliedert, die Tatsächlichkeit der Erkenntnis und die Buntheit der Phantasie vereinigend. Dementsprechend beschrieb Balzac den Roman als ein Gemälde, „in dem sich alle Gattungen vereinigen: die Komödie und das Drama, die Beschreibungen, die Charaktere, der Dialog, verknüpft durch die glänzende Fassung einer spannenden Handlung."

Proust und Powys haben dieser umfassenden Einstellung jüngst zu neuer Geltung verholfen. Ihre großen Romane gleichen Kompendien einer Welt. Nichts scheint es zu geben, was von vornherein ausgeschlossen wäre. Selbst der sprödeste Stoff wird eingeschmolzen. Powys und Thomas Mann liefern Beispiele dafür, mit welchen Massen von Wissen, ja von Wissenschaft ein Roman vollgepackt werden kann, ohne darum Einbuße am eigenen Wesen zu erleiden. Übrigens braucht man nur auf die Geschichte des Romans zurückzublicken: Rabelais, Cervantes, Grimmelshausen, der Wilhelm Meister, Dostojewskis Idiot — sind sie darin nicht Söhne eines Geschlechtes? Petron, als er noch vollständig war, gab eine Gesellschaftskunde seiner Zeit. Auch Apuleius zeichnete ein reiches Bild; es berücksichtigte vornehmlich die unteren Schichten, und bezog überdies noch Himmel und Hades ein. Und wie mag sich Iamblich mit seinen einstmals 35 oder 39 Büchern ausgenommen haben?

Aber nicht nur stofflich offenbart sich die Weite und in ihr die offene Form des Romans. Diese erfaßt auch den Charakter der Handelnden. Die Helden der deutschen Entwicklungsromane sind weltoffene Naturen, die sich allen Bereichen des Lebens erschließen, sie in sich aufnehmen wollen. Sie besitzen als Persönlichkeiten ihr eignes Gesetz oder suchen es wenigstens; Bindungen, woher sie auch kommen mögen, bleiben für sie bedeutungslos. Die „grenzenlose Bildsamkeit" und die „vielseitige Empfänglichkeit" machten, nach den Worten Friedrich Schlegels, den Wilhelm Meister zum Helden eines Entwicklungsromans. Doch schon Apuleius' Lucius hängt an keiner festen Form und keiner Gemeinschaft mehr. Er steht allein, ist ein Entwurzelter, und diese Sonderstellung wird noch unterstrichen durch die Verwandlung in den Esel, die ihn von Tier und Mensch gleichermaßen scheidet.

Lucius' Devise heißt: *velim scire cuncta vel certe plurima*. Doch die Welt, die ihm entgegentritt, ist nicht nur unermeßlich weit. Es fehlt ihr auch die Ordnung, und es fehlt ihr das leicht zu Bewältigende. Der Mensch wird in ihr umhergetrieben von den bösen Schickungen Fortunas. Diese Welt ist fraglich geworden und hat ihre Faßbarkeit, ihren festen Umriß verloren. Hinter ihr öffnet sich ein anderes, zugleich tieferes und umfassenderes Sein. „Der Geist", sagt Hegel, „in die Endlichkeiten der römischen Welt getrennt, in das Äußerliche und in die endlichen Zwecke verloren, hat sich nach dem Einen, dem in und für sich Seienden gesehnt. Er verlangte aber nach einer tieferen, rein innerlichen Allgemeinheit, nach einem Unendlichen, das zugleich die Bestimmtheit in sich hatte."

4

Man wird sagen, daß eines der wesentlichsten Kennzeichen des Romans bisher unberührt geblieben sei: die Liebesgeschichte. In der Tat scheint sie von Anfang an für ihn die Mitte zu bedeuten. Der älteste griechische Roman, von dem man weiß, der späthellenistische Ninosroman, kennt sie bereits, und seitdem hat sich nichts geändert. Aber noch ist es zu früh, auf das Liebespaar und seine wechselnden Erlebnisse einzugehen. Denn sie stehen nicht abgelöst da, sondern spielen auf einem Hintergrund. Mehr noch: die Welt der Liebenden hat eine andere Welt zum Widersacher und Gegenspieler. Sie muß man zuvor erfassen, und dies zu erreichen, soll uns ein Roman dienen, der sich ausdrücklich als solcher ohne Frau, ohne Liebe gibt.

In einem Brief an die „Fremde" zeichnet Balzac seinen Entwurf: „Die Schlacht." „In ihm", so heißt es da, „unternehme ich es, Euch in alle Schrecken, alle Schönheiten eines Schlachtfeldes einzuweihen. Meine Schlacht ist Eßling, mit allen seinen Folgen. Ich will, daß der Leser von seinem Lehnstuhl aus die Landschaft, die Zufälligkeiten des Geländes, die Masse der Menschen, die strategischen Ereignisse, die Donau, die Brücken sehe, will, daß er die

Einzelheiten und das Ganze in diesem Kampf bewundere, sich für diese schachspielartigen Verschiebungen erwärme; daß er alles sehe, hinter jeder Zuckung dieser Körperschaft Napoleon fühle, Napoleon, den ich nicht zeigen werde oder erst des Abends, wenn er in einer Barke über die Donau setzt. Nirgends der Umriß einer Frau, nur Geschütze, Pferde, zwei Heere, Uniformen. Auf der ersten Seite donnern die Geschütze, auf der letzten verstummen sie. Wie durch Pulverdampf werdet Ihr lesen, und ist das Buch zu Ende, so sollt Ihr glauben, Ihr hättet alles mit eigenen Augen gesehen, und solltet Euch der Schlacht erinnern, als ob Ihr mit dabei gewesen wäret."

Zuvor wurde von der Breite des Romans gesprochen; von der Welt zu ihrer Fülle, die er hervorzuzaubern vermag. Nunmehr erhält dieses Bild neue Züge. Denn was Balzac will, ist mehr: das Gedrängte und Massenhafte des Geschehens, das Unvermittelte und Unvermischte, das Sinnlose und Brutale in ihm. Und dahinter das Geheimnis! Es durchdringt und durchwittert alles: Napoleon als Lenker dieser Massen und Gewalten. Aber ein Napoleon, „den ich nicht zeigen werde oder erst des Abends", wie Balzac sagt. Das Geheimnis bleibt also. Es enthüllt sich nicht; allenfalls wird ein Zipfel von ihm gelüftet.

Die Welt des Romans erhält damit etwas Zweideutiges, Hintergründiges. Sie wird keineswegs zum Sinnlosen. Wie die Sprache des Romans manchmal ein „gigantisches Chaos" zu sein scheint, es aber nicht ist, so auch das Geschehen. Es scheint chaotisch, doch zuweilen enthüllt sich etwas, das einer Ratio wenigstens ähnelt. Aber diese Offenbarung bleibt undeutlich, begrenzt: ein Ungefähr, das zu neuen Fragen und Zweifeln reizt. Dieses Schillernd-Rätselhafte, ebenso das Halbdunkel, das Unentschiedene, Unfertige gehören zum Roman. Seine Welt ist dämonisch.

Schon der antike Roman liebte solche Hintergründe. Er bevorzugte das ägyptische Milieu, das Land der Wunder und Rätsel, darin Orient und Hellenismus aufeinandertrafen, scheinbar einen Bund eingingen und sich doch wieder schieden. Er suchte das Ungewisse der Höhlen und Gräber auf, die verborgenen Grotten, die geheimen Begehungen, Menschenopfer, Zauberei und Nekromantie — alles, was aus der Welt der Lebenden zum Hades zu führen schien.

Unvergleichlich muß darin der Roman des Iamblich gewesen sein. Was haben nicht alles der Auszug des Photios und die wenigen Bruchstücke erhalten: Chaldäer und Priester, Tempelschlaf und Aphroditemysterien, königlicher Aufzug, Soldaten, entlassene alanische Söldner und Räuber. Dazu Grüfte, vergrabene Schätze, Folter und Verstümmelung, Zauberer, Nekromanten und Bauchredner, sowie mancherlei Seltsamkeiten der Tierwelt: giftige Fliegen und vergiftete Bienen, leichenfressende Hunde aus Hyrkanien und Dromedare als Liebesboten. Es ist jene eigentümlich gestaltlose, brodelnde Welt, in der sich hundert Einflüsse kreuzten, Ältestes und Neuestes durcheinandergingen: das Babylonien der nachchristlichen Zeit. Die Ausgrabungen von Seleukeia, Ktesiphon, Dura-Europas; die Schriften der Mandäer, des babylonischen Talmud und Teile von Josephos' „Jüdischen Altertümern" müssen uns heute helfen, sie zu vergegenwärtigen, solange die Erde noch das Meiste in ihrem Schoße birgt. Iamblich war, wie er selbst erzählt, gebürtiger Syrer. Babylonische Sprache und Weisheit, babylonische Sitten und Geschichten lernte er erst von einem Kriegsgefangenen — wie er sich auch griechische Sprache und Rhetorik nachträglich aneignete. Babylonien war also ein Schauplatz eigener Wahl. Sie war eine glückliche, denn diesem Land war gleichsam vorherbestimmt, Pflanzboden eines Romans zu werden.

Genug: der Roman spiegelt eine bestimmte Seite der Wirklichkeit. Er spiegelt, wie zuvor gesagt wurde, ihre Zweideutigkeit: das Ineinander von Dunkel und Licht,

Chaos und Ordnung, aber auch von Sinnlosigkeit und Ziel, Unbarmherzigkeit und Fürsorge, Verfall und Blühen, Tod und Leben. „Kultur", so hat Nietzsche gesagt, „ist ein dünnes Apfelhäutchen über einem glühenden Chaos". So auch der Roman. Er setzt seine Wirklichkeit hin, wie sie sich bietet, und begnügt sich damit, sie mit einem oft nur dünnen Firnis künstlerischer Formung zu überziehen. Vor allem die Handlung ist von vergleichsweise geringer Bedeutung. Es sei wiederholt: der Roman besitzt keine „kontrapunktisch" aufgebaute Handlung wie Drama oder Novelle. Neuere Romane benötigen überhaupt keine Handlung oder ein Mindestmaß davon. Bei Huysmans kann sie sich auf die Bereitung einer Suppe beschränken ... Die Zahl der Episoden ist im Roman grundsätzlich nicht beschränkt, oft hat er keinen Anfang oder Ende oder braucht sie nicht. „Buddenbrooks" und „Zauberberg" scheinen sich am Band des Leitmotivs ins Unendliche fortzusetzen. Der Roman kann abrupt einsetzen oder abbrechen; das *happy end* oder ein sonstiger Abschluß erfolgt oft mechanisch genug. Und der Ablauf als solcher ist nicht nur im antiken Roman so gut wie vorgeschrieben.

Vergleichen wir die Novelle! Die Betonung der Handlung hat sie mit dem Drama gemein. Aus dem undurchdringlichen Dickicht des Lebens schneidet sie diese Handlung als geformten und übersehbaren Bereich heraus. Auf sie allein ist die Novelle ausgerichtet; die Begebenheit als solche wird vorangeführt, und alles Verweilen, jede Abschweifung bliebe ein Kunstfehler. Der Dichter einer Novelle gleicht einem Seefahrer, der durch ein bald stürmisches, bald scheinbar ungefährliches, immer aber trügerisches Meer unbeirrbar seiner Bahn folgt. Der Roman hingegen befaßt sich — um bei den Bildern zu bleiben — ebensosehr mit dem „Meer" und mit dem „Dickicht". Ihm geht es nicht um das Innehalten einer Bahn; er versenkt und verliert sich an das Abseitige: das Trügerische, Dunkle, Zwielichthafte, an die Fraglichkeit und Geworfenheit alles Menschlichen.

Wiederum erweist sich der Roman als Schöpfung der offenen Form. Ordnung und Gesetz sind in ihm nicht vereint: Roman bedeutet nicht Aufruhr. Aber sie sind nur vorhanden, um bald leiser, bald vernehmlicher in Frage gestellt zu werden. Darum gelingen dem Roman alle Auflösungserscheinungen, die Formen der Zersetzung und des Verfalls meist ausgezeichnet. Es ist kein Zufall, daß Petron, lange vor Stendhal, den Begriff der „Provinz" im kulturellen und gesellschaftlichen Sinn entdeckt hat. Apuleius, Cervantes, Grimmelshausen bestätigen, daß dem Roman Gesellschaftskritik im Blute liegt. Balzac hat im Bild des Faubourg St. Germain den Niedergang der französischen Aristokratie gegeben, und Proust hat dies noch einen Schritt weitergeführt. Auch die seelische Zergliederung ist, bei Licht besehen: Auflösung, Zersetzung ...

Freilich: Gesellschaftskritik und seelische Zergliederung sind, vom Roman aus gesehen, zweierlei. „Gesellschaft ist zugleich alles oder nichts. Gesellschaft ist das am Mächtigsten wirkende Gebräu im Kessel dieser Welt, und Gesellschaft ist überhaupt nicht und nirgendwo vorhanden" (Virginia Wolf). Zumindesten soviel ist deutlich: größere Gemeinschaften lassen sich schwerer erfassen und noch schwerer durch Maßnahmen des Verstandes auflösen als der Einzelne. Es bleibt immer ein — und oft ein sehr erheblicher Rest. Auch fühlt der Leser nicht sich selbst gemeint oder braucht es nicht. Gesellschaftskritik bleibt anonym: es sind „die Anderen", die die kritische Sonde trifft. In einer dekadenten Gesellschaft läßt sichs meist gut sein, zumindesten bevor der endliche und unausweichliche Zusammenbruch eintritt. Die letzten Zeiten Venedigs oder des *Ancien régime*, manche der Jahre zwischen den beiden Weltkriegen sind dafür ein Beleg. „*Qui n'a pas vécu avant 1789, ne connaît pas le douceur de vivre*", hat Talleyrand gesagt. All das kommt dem Roman entgegen. Denn in ihm will man, wie gesagt, leben, und im Gesellschaftsroman kann man es auch.

Dagegen ist bei den Einzelnen die restlose Zergliederung, gerade weil sie leichter und vollständiger gelingt (denn es sind von ihnen selbst geschaffene Wesen, die die Romanschreiber vor unseren Augen zerlegen), quälend. Auch in unserem privaten Dasein wünschen wir von Menschen, mit denen wir uns umgeben, die für uns anziehend bleiben sollen, die wir vielleicht lieben..., daß Abstand, daß ein Geheimnis bewahrt bleibe. Das Gegenteil würde die Liebe töten. Man geriete in die Lage von Kindern, die ihr Spielzeug zerbrechen, um zu sehen, welche Bewandtnis es damit habe, und dann ratlos vor den Trümmern stehen. Schließlich besitzt nicht jeder den Takt, es an der Andeutung, dem Schimmer einer Andeutung genügen, Letztes ungesagt und unberührt zu lassen. Proust besaß ihn, aber Huxley zeigt, wohin ein anderes Verhalten führt. Ist der Roman überhaupt Auflösung, so der seelisch-zergliedernde die Auflösung des Romans.

Zur gesellschaftskritischen Seite des Romans gehört die Parodie. Der Ausgangspunkt bei einer zerfallenden Gesellschaft, der zerfallenden ritterlichen Form ist am Don Quijote deutlich. Gil Blas hat man als den Vorläufer Figaros bezeichnet. Mit der Gesellschaft löst sich der Mythos auf, dessen Träger sie war. Darum wird der Mythos im Roman parodiert und mußte es werden. An die Stelle von Poseidons Zorn im heroischen Epos tritt bei Petron die *ira Priapi*... Es war der entscheidende Wechsel. Einst fiel die dichterische Welt mit der vorbild- und werthaften des Mythos zusammen. Dieser hatte lange Zeit alles Sinnvolle und Hohe, alles Ideale des Lebens in sich hineingenommen. War aber der Mythos zerfallen, besaß er keine Gültigkeit mehr, so war vom Leben, sofern man es dichterisch gestalten wollte, nur das Niedrige, Gemeine, Abenteuerliche, Mystisch-Abergläubische, Obszöne übrig. Es blieben die Nacht- und Schattenseiten des Daseins, nachdem der Mythos alles Licht, allen Glanz und die Herrlichkeiten des Lebens an sich gerissen hatte. Zuweilen steigert sich der Roman zur Stimmung des Grauens, ja des Gräßlichen. Schon die antiken Romane bieten dafür einen beträchtlichen Apparat auf. Iamblich muß erneut an erster Stelle genannt werden, und Apuleius ist manches durchaus gelungen. Anderswo wird eine Stimmung gesucht, die an das Tragische grenzt. Aber während in der Tragödie sich diese Stimmung auf bestimmten Punkten versammelt oder in überlegter Steigerung auf sie zugeführt wird, kann sie gleichmäßig den ganzen Roman durchziehen. In der Tragödie kommt das Schreckliche zum Ausdruck, beim Roman kann es ein immer gegenwärtiges Geheimnis bleiben. Seine Wirklichkeit wird zu einem Grauen, das ständig auf der Lauer liegt, in den Schicksalen der Helden sich zuweilen offenbar, aber nie ganz hervortritt.

Das Schwebende und Unfaßbare, das Gefährliche, Fragliche, Ungesicherte und Heimatlose äußert sich im Roman zunächst auf seelischer Ebene. Aber nicht nur die Seele ist bereit, grenzenlose Räume zu durchwandern. Wo Wandern, Suchen, Geworfensein vorwalten, ist die Reise auch im geographischen Sinn legitim. Das Reiseerlebnis ist, ins Räumliche umgesetzt, Ausdruck der Stimmung, die den Roman beherrscht. Für den antiken Roman und den des Barock ist es, mit wenigen Ausnahmen, unerläßlich. Nicht nur von Gefahr zu Gefahr, auch von Ort zu Ort werden seine Helden geworfen. Die Reise ist Wechsel, Erlebnisbereitschaft, Aufgeschlossenheit, aber auch Ausgeliefertsein und Unsicherheit. Reise bedeutet ein Fehlen von Bindungen. Sie ist die offene Form der Lebensführung, wenn man will. So muß das Proteusartige des Romans in ihr die stärksten Ausdrucksmöglichkeiten finden.

Man hat den entscheidenden Unterschied des antiken und des modernen Romans darin erblickt, daß dieser auf das innere, jener auf das äußere Leben abziele. Schopenhauer meinte: „Ein Roman wird von desto höherer und edlerer Art sein, je mehr inneres und je weniger äußeres Leben er darstellt." Als Beispiele nannte er Tristram Shandy und den Ritterroman; er hätte ebensogut den antiken Roman nennen können. In der Nachfolge Schopenhauers hat dann Erwin Rohde über den spätgriechischen Roman das Urteil gesprochen. Er sei durchaus äußerlich zusammengesetzt aus einer erotischen Fabel und einer Menge phantastischer Abenteuer zu Land und zur See. Abschätziger hätte man kaum urteilen können. Es blieb nur seltsam, daß diese äußerliche Manier beibehalten wurde. Mehr noch: daß sie eine ungeheure Wirkung nicht nur auf die ausgehende Antike, auf Byzanz und den Orient, sondern auch auf den Roman des Barock besessen hat.

In Wirklichkeit liegt jenem Urteil eine erstaunliche Verkennung antiken Wesens zugrunde. Was dem abendländischen Menschen sich in der seelischen Landschaft vollzieht, setzt sich für den sinnenfreudigeren antiken in plastische und räumliche Bildhaftigkeit um. Nordischer Grüblersinn erforscht sein Inneres und zieht zu Entdeckerfahrten in den geheimniserfüllten Räumen der eigenen Seele aus, wo sich für den Menschen des Mittelmeers alles zu Sichtbarem, zu Gebärde, Haltung, Handlung formt. Wo der neuere Geschichtsschreiber eigene Überlegungen gibt, legen ein Thukydides, Livius oder Tacitus sie als gesprochenes Wort einer der handelnden Personen in den Mund, gibt Herodot oder ein römischer Annalist die plastische Anekdote oder „erfindet" nötigenfalls eine Episode, die sich zwar nie und nirgends ereignete, wohl aber sich hätte ereignen können. Wenn die abendländische Kunst die Wiedergabe seelischer Vorgänge mehr und mehr auf das Antlitz verlagert, wenn im Norden solche Ausdrucksfähigkeit ins Unerhörte gesteigert wird, so verschiebt sich auch dies für die Antike. Statt der kleinen, aufgewühlten Fläche des Gesichts wählt sie als Träger des Ausdrucks den gesamten Körper. Seine Haltung, seine Gebärden steigern sich zu einer durchgehenden Beredsamkeit, statt sich aufs Mienenspiel zu beschränken. Und es bleibt durchaus offen, ob den schmerzdurchfurchten Zügen eines Riemenschneiderschen Johannes vor der edlen Trauer in den Gestalten eines attischen Grabreliefs, einer weißgrundigen Lekythos der Vorzug zu geben ist.

Für den Roman mußte, nach dem Gesetz antiken Wesens, Reise und Abenteuer zum Gleichnis dessen werden, was die Moderne ins Seelische verlegte, in ihm sozusagen versteckte. Daß dies nicht deutlich wurde, war weniger der Fehler des antiken Romans als der seiner philologischen Ausleger. Sie haben, wie oft, ihre Aufgabe zu leicht genommen. Der Raum, in dem ein Roman spielt, ist nie gleichgültig, weder im Petron noch im Longus oder Iamblich. Er gibt so etwas wie ein seelisches Vorzeichen.

Um vorerst bei Longus zu bleiben: ihm ist es ernst mit seiner Darstellung des Hirtenlebens. Überall greift er Motive der Bukolik auf, verwendet sie sinngemäß oder bildet sie so um, daß man die Bewahrung und Umschöpfung des Dichterwortes durch seine Prosa hindurchspürt. Darüber hinaus bedeutet ihm die Hirtenlandschaft ein höheres und edleres Dasein. Das Wachstum der Liebe von Daphnis und Chloe soll rein und ohne Störung vor sich gehen. Darum versetzt Longus die Liebenden in ursprüngliche und einfache Verhältnisse, also aufs Land. Natur ist für ihn nicht nur der Rahmen der Geschehnisse, sondern nährender Urgrund und Vorbild. Für Daphnis und Chloe besitzt die Stadt keine Reize. Sie ist unfromm, während die ländliche Natur ihnen ein reineres und den Göttern nahes Leben schenkt. Auch nachdem es seine Eltern gefunden hat, bleibt das Paar auf dem Land: „die Götter ehrend, die Nymphen, Pan und Eros, im Besitz großer Herden von Schafen und Ziegen, und keine süßere Nahrung kennend als Früchte und Milch".

Longus steht nicht allein. Wer den Aithiopenroman

des Heliodor mit einiger Aufmerksamkeit liest, wird rasch innewerden, daß die drei Länder, die den Schauplatz bilden, verschiedenen seelischen Bereichen entsprechen. Griechenland ist für die Liebenden das reine Land ihrer Jugend, das sie mit ihrer ersten Begegnung verlassen und in das sie niemals zurückkehren. Sie fliehen nach Ägypten, und das heißt für sie Abenteuer, Prüfungen und ruheloses Umhergetriebensein. Verheißung und Heimat aber wird ihnen das göttergeliebte Aithiopien. Dort findet das Paar sich selbst und Erfüllung seines Geschicks. Und indem es zu geläuterter Haltung emporsteigt, vollzieht sich solche Läuterung auch an den Aithiopen. Vom Willen der Himmlischen geleitet, erheben sie sich zu einer edleren und geistigeren Form ihrer Religion.

Beides — das Seelische auf der einen Seite, Reise und Abenteuer auf der anderen — sind Entfaltungen derselben Idee. Der Roman ist Reise: in unentdeckte Bereiche der Seele oder in fernes exotisches Land. Wiederum ist er Wanderung, Suche, offene Form ... bereit, alles aufzunehmen und wieder zu verlassen. Immer schwebt er in einem Zwischenbereich, in einer dämonischen Welt, nie in einer geistigen oder im göttlichen Licht.

Wie aber: sollte der Roman keine Beziehung zu Gott, zur göttlichen Welt überhaupt besitzen? Oder sollte er nur auf einen besonderen Bezirk dieser Welt hinführen? Ein neuer Fragenbereich tut sich auf. Wiederum müssen die Fäden verfolgt werden, die zwischen dem spätantiken Roman und der letzten Phase des abendländischen hin- und hergehen.

5

Der antike Roman erwuchs aus der Darstellung des Leidens und Sterbens der Gottheit. Dem Weg, den diese eingeschlagen und bis zu ihrer Wiedererweckung zurückgelegt hatte, folgte das menschliche Paar. In den Schicksalen, die die Liebenden, leidgeprüft und umhergeworfen, bis zur endlichen Vereinigung durchzumachen hatten, verbargen sich unter leichter Verhüllung die Schicksale des Gottes. Zuweilen war es die Gottheit selbst, die ihre menschlichen Nachfolger dem Ende ihrer Irrfahrten entgegenführte. Dann blieb unter neuer Form der einstige religiöse Gehalt gewahrt. Anderswo konnte er sich weitgehend verflüchtigen. Aber auch dann waren für jeden Roman eine Anzahl Situationen unerläßlich, die auf seine Ursprünge verwiesen und nur aus dieser verständlich waren. Vor allem folgte auf die Leidens- und Irrfahrt am Schluß die Erlösung, wie denn auch der Gott errettet worden war.

Aber war das wirklich eine antike Vorstellung? Was später der Roman war, bedeutete für eine ältere Zeit das Epos. Auch Odysseus hatte Leiden und Irrfahrt zu bestehen. Aber am Ende stand keine Errettung oder Erlösung derart, daß er wie der Held des Eselsromans sich in den Schoß der Isis flüchtete. Gewiß: Odysseus kehrt heim und darf — höchste Befriedigung des Mannes! — an seinen Beleidigern und Feinden Rache nehmen. Aber Homer deutet an, daß seine Irrfahrten und Leiden damit keineswegs beendet sind. Odysseus blieb bis zum Tode der, der er war. Darin scheidet sich hellenische Sage, der es auf die gestaltmäßige Einheit der Person ankam, von dem religiösen Suchen der ausgehenden Antike, ihrer Sehnsucht nach Wandlung und Erlösung.

So ist denn das Leiden, Sterben und Wiedererstehen des Gottes, die Ursprung und Hintergrund des spätantiken Romans bilden, der Mythos von Osiris und Isis. Nicht der Umkreis eines griechischen oder römischen Gottes, sondern eine ägyptische Mysterienreligion bildete den Ausgangspunkt. Man darf noch einen Schritt weitergehen. Wohl können einmal Apollon, Hermes, Aphrodite, Artemis im Roman Platz finden. Aber dann sind sie Dekor, fertige Kulisse neben anderem, nichts mehr. Mit der Religion der Olympischen hat der Roman so wenig zu tun wie mit den römischen Staatsgöttern. Wohl aber konnte der Roman mit dem Christentum eine Verbindung eingehen — erstmalig in den Clementinischen Homilien und Rekognitionen. Und dabei ist es geblieben, über die Blanquerna des Raimundus Lullus, den *Roman dévot* des 17. Jahrhunderts bis herab zu Dostojewskij und Bernanos.

Damit ist man wieder bei einer bedeutungsvollen Feststellung angelangt. Zwei Klassen von Religionen sind vorab zu scheiden. Man hat sie als „alte" und „moderne" bezeichnet. Zu den modernen Religionen zählte man den Buddhismus, das Christentum, den Islam und, heute ausgestorben, den Manichäismus. Ihre Kennzeichen sind: ein individueller Gründer, Erlösung, Mission und eine übernationale Haltung. Sie wenden sich an jeden Menschen in jedem Land, in jedem Volk und innerhalb jeder Kultur. Oft, nicht immer, ist es so, daß sie sich bei den niederen Klassen zuerst durchsetzen; immer aber beziehen sie diese in ihre Verkündigung ein.

Ihnen gegenüber stehen die Religionen des alten Typus. Dazu gehören die der Germanen, Römer, Griechen, Ägypter, Hethiter, Babylonier, Inder, Chinesen. Sie kennzeichnen sich zunächst durch die Abwesenheit der oben aufgeführten Merkmale. Sie besitzen keinen Gründer und suchen keine Proselyten; sie kennen keine Erlösung und keine Weltmission. Sie beschränken sich vielmehr auf einzelne Völker, bei denen sie mit den staatlichen Einrichtungen meist eng verknüpft sind. Überall ist der Adel dieser Völker Träger der Religionen. Hatten die modernen eine Neigung zu Breite und Ausdehnung — in der Richtung sei es auf das einfache Volk, sei es auf die Welt — so sind die alten Religionen durch aristokratische Geschlossenheit gekennzeichnet.

Soweit die bisherige Einteilung. Es muß gesagt werden, daß sie Schwierigkeiten begegnet. Der Zarathustrismus hat den Gründer und die Rettung der Seelen mit der ersten Klasse, den nationalen, staatlichen und aristokratischen Charakter mit der zweiten gemein. Sollte der individuelle Gründer — im Gegensatz zu den anderen Merkmalen von zufälliger Bedeutung sein? Wenn man dies zugibt, so läßt sich den „modernen" Religionen eine weitere Klasse anschließen, die gleichfalls keinen Gründer kennt und bisher abseits stand: die Mysterienreligionen.

Denn sonst haben diese Religionen mit den modernen sämtliche Eigenschaften gemeinsam. Sie lehren die Erlösung und die Rettung, sie suchen Proselyten und treiben Weltmission. Sie nehmen zwar ihren Ausgang von bestimmten Völkern: wie das Christentum bei den Juden, der Islam bei den Arabern, so haben die Mithrasmysterien ihre Heimat in Iran, die der Isis in Ägypten. Aber beide Gruppen überschreiten diese Grenzen bald. Und der Rückgang der Nationalkulturen ist für die Ausbreitung des Buddhismus und des Christentums, des Islam und Manichäismus ebenso Voraussetzung wie für die der Mysterienreligionen.

Darüber hinaus haben die „modernen" und Mysterienreligionen gemeinsam: die Anschauung von der Sündhaftigkeit alles Menschlichen, die Richtung auf die niederen Volksschichten, den Märtyrer und die Bekehrung. Eben sie führt über die Aufzählung der Merkmale hinweg zum Wesentlichen.

Für die alten Religionen sind die Götter einfach da. Dieses Dasein wird nie erörtert, nie in Frage gestellt. Niemand wurde zu Artemis oder Aphrodite, zum kapitolinischen Jupiter, zu den Göttern Walhalls „bekehrt". Sie alle waren die selbstverständliche Gegebenheit, in der die Menschen sich bewegten. Die homerischen Helden fühlten in jeder eigenen Tat das unmittelbare Wirken eines Gottes. Keinem fiel es ein, das Vorhandensein dieser Götter zu bezweifeln oder zu leugnen. Einen antiken Atheismus gibt es mit verschwindenden Ausnahmen nicht. Man konnte die Götter Roms „vernachlässigen" oder „beachten". Im ersteren Fall drohte göttliche Strafe. Aber es blieb den

Himmlischen selbst überlassen, sich bei ihren Verächtern nachdrücklich in Erinnerung zu bringen. Im zweiten Fall übte man die rechte Haltung: *religio*.

Man hat vom „Glauben" der Hellenen gesprochen. Das war ein Mißgriff wie das Buch, das diesen Titel trägt. Zum Glauben gehört als Gegenstück der Zweifel. Der Glaube gibt nie selbstverständliche Gewißheit, man ringt sich vielmehr zu ihm durch. Man wird angefochten, man erleidet Versuchung, man kämpft und auch, wenn man gesiegt hat, muß man immerfort auf der Hut bleiben. Glauben und Glaubenskampf, Anfechtung und Bekehrung sind das große Thema des Christentums, des Manichäismus und Buddhismus. Die Fresken der Heiligtümer von Chinesisch-Turkestan zeigen die Versuchung des Buddha in ständiger Wiederkehr. Aber auch die Mysterien, zumal die des Mithras und Isis, kennen diesen Kampf und vor allem die Bekehrung. Allenfalls macht der Islam eine Ausnahme.

Ein Schritt weiter, und die Bezeichnung als „moderne" Religionen muß fallen. Man mag sie für Christentum und Islam gelten lassen, für den Buddhismus, der um die Wende des 6. zum 5. Jahrhundert entstand, paßt sie nicht; ebensowenig für den Manichäismus und für die Mysterienreligionen. Ihnen allen eignet dagegen die offene Form. Denn sie öffnen sich den Scharen der Gläubigen aus der gesamten Welt, offen sind die nationalen Schranken, das Schicksal der Seele, der Glaube, der Tag für Tag neu erkämpft werden muß.

Im Gegensatz dazu stehen die „alten" Religionen. Sie sind national begrenzt, durch staatliche Autorität und uraltes Herkommen festgelegt und geschützt, setzen eine geschlossene Gesellschaft und eine auf sie gegründete Ordnung voraus. Alles ist gegeben, gesichert und selbstverständlich, solange diese Ordnung besteht. Man darf sie als Religionen der geschlossenen Form bezeichnen.

Der Roman kann, das ergab sich zuvor, mit dem Christentum und den Mysterienreligionen einen Bund eingehen. Von den Mysterien der Isis leitet der spätgriechische Roman seinen Ursprung her. Mag bei dem Werk des Petron, wie sein Titel besagt, neben dem griechischen Liebesroman die römische *Satura* Pate gestanden haben, so ging auch sie auf Mysterien, die der Ceres-Demeter, zurück. Genug: dieser Bund zwischen der literarischen Schöpfung und den Religionen der offenen Form war wesenhaft. Sie gehörten ebenso zueinander wie Epos und Tragödie zu den alten Religionen, bei denen die geschlossene Form es war, die sie verknüpfte.

Offene Form ist gleichzeitig Formzersetzung, Formzerfall. Christentum und Mysterienreligionen kündigten den Zerfall der antiken Welt an. Sie waren die unvornehmen Religionen wie der Roman die unvornehme Gattung innerhalb der Literatur. Die Erlösungsreligionen endlich sind nicht männliche Religionen wie die Homers und des alten Rom: sie sind der Glaube der Schwachen. Erneut zeichnet sich der Zusammenhang mit den Krisenzeiten der Kultur ab.

6

Man hat von einem Kampf um die antike Religion gesprochen, und soviel ist richtig, daß dieser Bereich der Antike im Mittelpunkt lebhafter Erörterungen steht. Weniger die Altertumswissenschaft selbst — konservativ gerichtet wie sie ist — als die breitere Öffentlichkeit folgt dem Für und Wider mit Anteilnahme; sie hat für die Neuerer oft leidenschaftlich Partei ergriffen. Um was ging es bei diesem Kampf?

Für die Schule Mommsens und noch für Wilamowitz war Religion einfach geschichtlicher Ausdruck des Nationalgeistes. Als solcher stand sie neben Dichtung und Geschichtsschreibung, Staat und Recht. Religion war Geformtes, nicht selbst Formendes und Schöpferisches. Sie als eignen Bereich mit eigner Gesetzlichkeit, Götter und göttliche Mächte als bestehende Wirklichkeiten zu verstehen und sie als solche in Leben und Geschichte eingreifen zu lassen: all das lag weitab von den Wegen dieser Betrachtungsweise.

Wilamowitz freilich rief in seinem letzten Buch aus: „Die Götter sind da!" Solche Feststellung bezeichnete er als unabdingbare Voraussetzung für die Erkenntnis hellenischer Religion. Er bezog sich auf eine frühere Äußerung, daß man an einen Gott glauben müsse, um ihn zu verstehen. Selbst ist er nicht dazu gekommen, die Folgerungen aus seiner Einsicht zu ziehen. An anderer Stelle sprach er umso offener aus, was die Auffassung der bisherigen Forschung war. Die Meinung, daß Götter nicht die Geschöpfe ihrer Verehrer seien, sondern als seiende Mächte von außen in das menschliche Leben hineintreten; daß sie Wirklichkeiten darstellen, die nicht willkürlich erfunden, sondern als existent befunden werden, wurde kurzerhand als „Metaphysik" bezeichnet.

Damit schien das Urteil gesprochen zu sein. Und doch bedeutete dieses Urteil bereits eine Verteidigung. Es richtete sich gegen eine Bewegung, die allerdings von völlig anderen Voraussetzungen ausgegangen war. Ihr Begründer und beredtester Wortführer W. F. Otto betrachtete die Götter nicht als zufälliges Ergebnis eines geschichtlichen Vorganges, sondern als Gestalten, die ihr geistiges Gesetz in sich tragen. Er stellte den systematischen Gehalt dieser Gestalten heraus, suchte sie weder „historizistisch" noch psychologisch, sondern ontologisch zu begreifen. Entsprechend wandelte sich die Betrachtung der Religion. Nicht mehr war sie bloßer Niederschlag der Entwicklung eines Volkes in Kult und Mythos. Sondern umgekehrt: sie erwies sich als das Offenbarwerden einer Seinswelt im zeitlichen Verlauf der Geschichte, als das Erkennen einer besonderen Form des Göttlichen durch ein dazu befähigtes Volk — einer Form, die als solche vorgegeben war.

Mit einem Wort: es wurde mit der Besinnung auf das Wesen der Religion Ernst gemacht. Von einem Fach- und Teilgebiet erhob sie sich zu zentraler Bedeutung. Die Götter Griechenlands und Roms konnten wieder als die Mächte gelten, nach deren Vorbild und Geheiß sich jene zugleich geschichtliche und übergeschichtliche Welt geformt hat, die wir als Antike bezeichnen.

Einen Schritt weiter tat K. Kerényi. Hatte für Otto die Welt der Götter im Mittelpunkt gestanden, so für ihn der Mythos. Nicht nur die Götter traten jetzt als seiende Mächte von außen in das menschliche und geschichtliche Leben hinein, auch von den Mythen hatte dasselbe zu gelten. Hatten sich für Otto bestimmte Götter vorzugsweise (wenn auch nicht ausschließlich) einem bestimmten Volke gezeigt, so wurden von Kerényi ihnen und ihren Mythen von vornherein eine übervölkische Geltung zugewiesen.

Kerényi spricht von mythischen Urmotiven, die melodienhaft aufklingen und sich in verschiedener Form, nebeneinander oder in zeitlicher Folge, entfalten. Solche Entfaltung ist vergleichbar mit verschiedenen Variationen desselben musikalischen Themas. Götter wie Hermes und Dionysos bleiben nicht mehr auf Hellas oder die klassische Antike überhaupt beschränkt. Kerényi wagt die Behauptung, daß im finnischen Kalewala das wunderbare Kind Kullerwo beide Götter in einem enthalte. Als Hermes erweise er sich durch die Vernichtung der Rinder und die Verfertigung der Musikinstrumente, als Dionysos durch sein Verhältnis zu den wilden Tieren und die Bestrafung seiner Feinde. Sampsa, gleichfalls im Kalewala auftretend, ist das finnische Ebenbild des etruskischen Tages, und die Gestalt der Kore glaubt Kerényi in der indonesischen Hanuwele wiederzuerkennen. Die Entfaltungen, die Sampsa und Tages, Hanuwele und Kore heißen, sind ihm jeweils aus dem gleichen mythischen Urstoff geschaffen. Indem die Urmotive sich entfalten, schaffen sie erst die nationalen Mythologien.

Das Neue gegenüber dem, was voraufging, ist, daß nicht nur gegenüber dem Geschichtlichen, sondern gegenüber dem Nationalen in, wie Kerényi es nennt, tiefere Schichten vorgestoßen wird. In bestimmten Fällen sucht er sogar über das menschliche Leben hinaus vorzudringen. Kindheit und Waisenschicksale im Mythos der göttlichen Kinder, so heißt es einmal, sind nicht aus dem Stoff des Menschenlebens, sondern aus dem des Weltlebens gewoben. Mythologische Bilder von solcher Art besitzen einen zeitlos gültigen Weltgehalt und damit einen geistigen Charakter, der über das geschichtliche und nationale Einzelphänomen hinausreicht wie „eine hohe wissenschaftliche Theorie oder eine musikalische Schöpfung und überhaupt wie jedes echte Kunstwerk."

Kerényi verzichtet darauf, seine mythischen Urmotive geschichtlich oder national festzulegen. Zumindesten schiebt er alle solche Festlegungen hinaus. Fragen nach dem Ursprung mythischer Bilder, so meint er, lassen sich nur „planetarisch" lösen — was doch besagt, daß sie vorerst ungelöst bleiben müssen. Einmal wird die Frage aufgeworfen, ob der Ursprung an einem ideellen Ort, in einer Möglichkeit des Geistes oder in einem festumrissenen Kulturbereich zu suchen sei. Aber Kerényi begnügt sich mit der Möglichkeit, daß ein gemeinsames Urmotiv überall dort zugrundeliegen könne, wo man den „Ton zusammenklingender Variationen" erlausche. Es genügt ihm, wenn man hinter den irdischen Klängen die überirdische Melodie vernimmt.

Auch Kerényis Anschauungen sind „Metaphysik". Aber sie unterscheiden sich von denen Ottos. Dessen Deutung der Götter erwuchs aus dem Zeugnis der Griechen selbst. Ihnen bedeuteten die göttlichen Mächte zugleich Seinsmächte. Das Transzendieren dieses Gottesbegriffes lag in seiner Herkunft und seiner geschichtlichen Struktur beschlossen; es bedeutete nichts anderes als eine phänomenologische Klärung. Kerényis Urmotiv dagegen war von ihm lediglich erschlossen. Es tauchte vor seinem Auge auf, ohne daß die originalen Zeugnisse auch nur einen Hinweis gegeben hätten. Mehr noch: es versucht in einen Bereich auszuweichen, der unangreifbar ist oder doch so scheint.

Denn Kerényi ließ hinter den festumrissenen, geschichtlich und national bestimmten Einzelmythologien ein weites Land der Sehnsucht auftauchen: die Urmythologie. Zustimmend ruft er einmal das Hölderlinwort auf: „Mir ist nichts lieber als was so alt ist als wie die Welt". Wie alle ähnlichen Vorstellungen — Urrasse, Urvolk, Urkultur, Urschrift, Urheimat — so wirkt auch die Urmythologie mit suggestiver Kraft auf unser Zeitalter. Und wie alle diese Vorstellungen sich der Festlegung entzogen haben und entziehen, so tut es auch die Urmythologie. Das Transzendieren des Ottoschen Gottesbegriffes wäre methodisch einem Postulat zu vergleichen. Die Götter als Seinsmächte besagen, daß es sich um einen Grenzbegriff der geschichtlichen Erfahrung handelt, der auf diese mit Erfolg angewandt werden kann. Aber Urmotiv und Urmythologie würden ihren magischen Klang, ihre Verlockung und Verführung, ihre Traumferne und damit ihre Unwiderstehlichkeit einbüßen, sollten sie einmal in ein banales *hic et nunc* eingehen müssen.

Die Religionsforschung wird damit, folgerichtig weitergedacht, zur Religionsverkündung. Auf den geschichtlichen Religionen baut sich angeblich uralte und in Wahrheit doch so neue *religio religionum* auf. Hat man diese erfaßt, so weist sich Kerényis Urreligion als alter Bekannter aus. Schon einmal wurde versucht, über ein Wissen von den Religionen zu *der* Religion vorzustoßen. Die späteren Neuplatoniker, Iamblich und Proklos, und alles, was ihnen bis herab zu Creuzer und Görres anhing, sind diese Bahn gegangen. Es ist der Weg einer Kultur, die ihrem Ende zugeht, damals wie heute.

Aber solchen Ausblicken soll nicht vorgegriffen werden. Genug: Kerényi kommt den Sehnsüchten seiner Zeit entgegen. Er spricht aus, was in ihr unausgesprochen bereitlag. Er selbst setzt seine Mythologeme einer musikalischen oder dichterischen Schöpfung parallel. Es ginge mit seltsamen Dingen zu, sollte der Roman nicht seinerseits das Bereitliegende aufgegriffen haben.

Gabriele d'Annunzio hat in *Forse che sì, forse che nò* den tragischen Mythos von Mann und Weib gestaltet.

Die verhängnisvolle Anziehungskraft, die beide aufeinander ausüben, und die ebenso verhängnisvolle Gegensätzlichkeit, die sich gerade im Tiefsten und Entscheidenden zwischen ihnen auftut, bildete den Vorwurf von Euripides' Medea. Die Handlung war durch den Mythos gegeben. Medea war Kolcherin und Barbarin, aber bei Euripides entsteigt solch zufälliger Begrenztheit ein Sein, das auf nichts Anderes als das Weib schlechthin hinzielt. Auch bei Jason ist der besondere Fall zu allgemeiner Gültigkeit gesteigert. Eine typisch weibliche und eine typisch männliche Haltung stoßen damit aufeinander: sie entfalten sich in dem Gespräch, das dem Kindermord voraufgeht. Hier, wo es um die eigentlichen Triebkräfte beider geht, brechen aus dämonischer Tiefe schneidende Dissonanzen hervor. Medea erweist sich als die Barbarin, die sie ist. Aber wie das Barbarische, so steht auch alles Weibhafte den Urgründen näher, hat die Verbundenheit mit ihnen nie aufgegeben. Hingegen ist Jason Hellene und Mann, und dieses Ineins ist nicht weniger gemäß als jenes, was in Medea sich traf. Hellenische Kultur bedeutet eine männliche Welt. Sie ist maßvoller, gebändigter, geformter, aber auch reflektierter und fühlloser: sie glaubt ignorieren zu dürfen, was ihrem Gesetz sich nicht fügt. Aus den Gewalten, die sich derart gegeneinander aufbäumen, formen sich Worte, die unheilbare Wunden schlagen, formt sich die Tat weiblicher Leidenschaft, die den Mann wie vor einem aufgerissenen Abgrund erstarren läßt.

Euripides fand den Mythos vor, der ihm die Möglichkeit gab, seine Problematik zu entfalten. Der moderne Dichter wußte um das Problem und suchte nach dem Mythos, darin es sich verkörpern sollte. Das Gegenüber von Mann und Weib war, wenn irgendetwas, ein Urmotiv, eine Urmelodie. Aber d'Annunzio bedachte sich keinen Augenblick, wie er sie zu gestalten hatte. Das allgemeine Motiv ging bei ihm wieder in eine besondere nationale Form ein. Er griff auf Mächte, die das Bild seines eignen Landes geformt hatten, zurück. Aus dem Mythos Italiens erwuchs ihm der Mythos, der sich zum Geschick von Isabella Inghirami und Paolo Tarsis verdichtete.

Isabella ist keine Barbarin, sie entstammt dem etruskischen Volterra. Und doch steht auch sie den Urgründen nahe. Aus einer Stadt kommend, die tief in vorindogermanischen Schichten wurzelt, aus einer Stadt der Gräber und zugleich der unterirdischen Schlüfte und Abgründe, ist sie den Mächten des Hades und der Erdtiefe verbunden. Ihr Dämon nährt sich aus diesen Bereichen.

Sie trägt das Zauberische dieser Welt, aber auch das Dunkle und Verwirrende an sich. Sie ist mächtig wie irgendeine Göttin der Unteren, aber wie diese so oft, ist sie die große Hetäre: die Unersättliche, die alles Erreichbare in ihren Bann zieht. Ihre Schönheit ist die verführerischste, und doch bleibt es bei einer Schönheit des Leibes — eines Leibes, den das Wissen um eigne Vergänglichkeit und Todesnähe zu übermäßiger, berauschender Blüte treibt.

Paolo Tarsis trägt einen Namen, der nicht zufällig an Griechisches gemahnt. Als Flieger ist ihm der Wagemut (*thársos*) zugeordnet. Verkörperte sich in Isabella die zugleich farbige und todeshafte, üppige und verderbliche, verführerische und grauenerregende Seele des alten Etrurien, schien sie erneut von den Schatten emporgestiegen, so leuchtet in Tarsis das helle, männliche, auf Klarheit gerichtete hellenische Erbe auf. Wie sie den Unteren, so gehört er den Göttern des Himmels und Tages. Einmal, gleich der euripideischen Phaidra, sucht sie sich ekstatisch zu dieser Gegenwelt zu erheben... Aber eingefangen in dem Gewirr zerfallender Paläste und Grüfte, erfüllt und vergiftet von den mefitischen Dünsten, die einer Todeslandschaft entsteigen, stürzt sie in Blutschande und Wahnsinn. Tarsis erhebt sich, als er vom Gräßlichen erfahren hat, auf Flügeln zum reinigenden Aether.

Der Augenblick für eine Würdigung d'Annunzios ist vielleicht noch nicht gekommen. Vordergründiges und Zeitgebundenes stehen dem im Wege; sie verhindern, daß man dahinter den Dichter erkenne. In der Tat: d'Annunzio scheint auf den ersten Blick seinem Zeitalter verhaftet wie wenige. Damit ist nicht gemeint, daß Technisches, Auto und Flugzeug, bei ihm im Vordergrund steht: darin ist er nur im äußeren Sinn modern. Denn für d'Annunzio bedeuten sie nicht bloße Maschine, Seelenloses oder Ungeistiges: eher sind sie ihm Ausdruck einer menschlichen und männlichen Vitalität, die sich alles unterwirft. Sie sind die geradlinige Verlängerung dessen, was als Kraft im Manne selbst wirksam ist. Aber die Freude an solcher Vitalität überhaupt ist es, was d'Annunzio zum Kind des beginnenden 20. Jahrhunderts macht. Selten hat das Brutale im Erotischen, das Nackte, Unverhüllte, Erbarmungslose ähnlichen Ausdruck gefunden — in *Forse che sì* übrigens nicht weniger als im *Fuoco* und im *Triomfo della morte*. Es ist eine Welt der sonnengebräunten Muskeln, der weißen Frauenleiber, der starken und leidenschaftlichen Äußerungen, des Blutes, der Kraft und der Wollust. Italienische Kunst und italienische Landschaft scheinen an diesen Bereichen teilzunehmen. Sie wiederholen und unterstreichen, sie geben den größeren Rahmen und die unerschöpfliche Quelle, aus denen das Vermögen der Handelnden gespeist wird. Sie umzacken und umrändern mit ihrem ausladenden Kontur die Kämpfe, die sich auf der menschlichen Bühne abspielen.

Und doch greift d'Annunzio tief, weit tiefer, als es zunächst den Anschein hat. Nicht zufällig konnte er der euripideischen Tragödie zur Seite gestellt werden. *Forse che sì* bedeutet das Aufleuchten einer Idee, die bereits das Bild der römischen und italienischen Vergangenheit bestimmte. In der Vorrede zu seiner „Tanaquil" hatte Bachofen die Auseinandersetzung zwischen vaterrechtlicher und mutterrechtlicher Ordnung, zwischen einer männlichen und weiblichen Sicht der Welt in kühnem Umriß hingestellt. Die Bahn verlief über Aeneas und Dido, über Hellas und Phoinikien, über den Tarquinius Priscus, dem dorisches Blut in den Adern floß, und Tanaquil zur weltgeschichtlichen Auseinandersetzung zwischen Rom und Etrurien, Rom und Karthago. D'Annunzios Roman bedeutet das nicht unwesentliche Schlußglied dieser Kette. —

A. Huxley hat in *Point Counter Point* seinen Freund und Altersgenossen D. H. Lawrence im Maler Marc Rampion dargestellt. Es ist die zahme Welt, worüber dieser Klage führt, der Mensch als Haustier. Die Fabriken, das Christentum, die Wissenschaft, die bürgerliche Achtbarkeit, die Erziehung — alle drücken sie auf ihn. Die Zivilisation habe uns zu Barbaren der Seele und des Körpers gemacht. Rampion träumt von den Griechen und den nackten, „sonnengebräunten" Etruskern auf den Grabgemälden von Tarquinii; er rühmt ihren Phallismus. Und er kündet eine kommende Revolution, die keine Revolution von Menschen sein werde, sondern eine solche von Elementarwesen, von Ungeheuern, von vormenschlichen Ungeheuern... Das Kommen der Katastrophe, die Rampion ankündigt, ist zugleich der Durchbruch zu einem ursprünglicheren, mehr naturhaften Sein, das in uns schlummert; das zuweilen die Decke der Zivilisation mit Naturgewalt aufreißt und an die Oberfläche dringt.

Die Mächte, die in d'Annunzios Roman wirkten, waren trotz moderner Einkleidung antiken Mächten, antiken Göttern wenigstens vergleichbar. Wie in der euripideischen Tragödie waren sie hinter den Menschen, die nur im Vordergrund walteten, zur Entscheidung angetreten. Hinter Phaidra und Hippolytos standen Aphrodite und Artemis, und so stehen sich in Tarsis und Isabella Apollon und Aphrodite gegenüber oder wie immer man die Mächte bezeichnen mag, die Mann und Weib mit ihrer Besonderheit und Gegensätzlichkeit erfüllen. Auch sind die Mächte d'Annunzios umfassend, wie die griechischen Götter es waren. Mann und Weib bedeuten jeweils einen Aspekt der ganzen Welt; sie umspannen sie in gleichem Maße, wie Athena, Apollon oder Hermes auf die Gesamtheit des Daseins gerichtet sind. Und wie sich in Athena Einsicht und kluge Tatkraft, in Apollon Distanz und Erhabenheit, in Hermes die Nacht und ihre überraschenden und zauberischen Gewalten: Irreführung und glückliches Gelingen, Verlockung und Beruhigung offenbaren, so zeigt sich die Welt unter männlicher und weiblicher Sicht in jeweils verschiedener Form.

Freilich: darin besteht ein Unterschied, daß es bei dem Dichter des beginnenden 20. Jahrhunderts die nackten, gleichsam brutalen Gegebenheiten des Geschlechtes sind, die als bestimmende Kräfte auftreten. Apollon hingegen und Athena, Artemis und selbst Aphrodite besitzen oberhalb dieser Gegebenheit, in einer gestaltenden geistigen Einheit, ihr Gesetz. Der Scharfblick George Sorels hat für jene Umlagerung den Begriff des *ricorso*, der Umkehr, geschaffen (im Anschluß an Vico). Ein solcher *ricorso* tritt in Spätzeiten hervor, in denen die Kräfte des Intellekts die tiefer gelagerten Gewalten: Leidenschaften, seelische Spannkraft, Glut des Erkennens zurückgedrängt haben. Diese Zeiten kehren zuweilen in plötzlichem Umschlag zu dem zurück, was sie endgültig verlassen zu haben scheinen. Ursprüngliche Kräfte kommen

wieder herauf, sie werden zu neuem Leben aufgerufen
— aber sie werden es in dunklerer, oft brutalerer Form.
Der *ricorso* ist manchmal imstande, den allgemeinen
Niedergang zu hemmen. Aber dieser Vorteil ist durch
Verwilderung, eine Art neuer Barbarei, erkauft.

Wie steht es hier mit D. H. Lawrence?

Die klassische Gottesidee der Griechen hatte es gewagt,
den Menschen und nur ihn in den Mittelpunkt zu rükken. Sie hat ihn so groß gesehen und so hoch erhoben, daß
nur er fortan zum Bild der Gottheit taugte. In dieser
Gottheit erkannte sich der Mensch als ewige Gestalt.
Auch Huxleys Rampion führt den Menschen und das
menschliche Maß im Mund. Er spricht von den völlig anständigen Menschenwesen, die sich natürlich und das will
heißen: ihren Trieben gemäß benehmen. Rampion-
Lawrence verwirft den absoluten — den unmenschlichen — Gott zugunsten der kleinen, relativen und damit
menschlichen Götter der antiken Geschichte und Geographie. Aber damit verknüpft sich ihm ein anderer Gedanke: der natürliche Mensch, im Gegensatz zum zivilisierten, ist der tierhafte Mensch.

Die Formulierung könnte zu Mißverständnissen führen. Glücklicherweise sind Rampions Äußerungen eindeutig. „Wenn die Menschen umhergingen und ihre triebhaften Begierden nur befriedigten, so oft sie diese ehrlich
empfinden wie jene Tiere, von denen sie so verächtlich
reden, würden sie sich weit besser benehmen, als die
Mehrzahl der zivilisierten Menschen sich gegenwärtig
benimmt. Es sind nicht natürliche Gelüste und spontane,
triebmäßige Begierden, die den Menschen heute so bestialisch machen — bestialisch ist nicht das rechte Wort, denn
es enthält eine Beleidigung für die Tiere..." Es sei, heißt
es ein andermal „verdammt viel besser, sich wie ein Tier
zu benehmen — ein wirkliches, echtes, ungezähmtes
Tier —" als etwa sich an einen absoluten Gott und dem-

entsprechend einen absoluten Teufel eigner Mache zu halten.

Mensch und Tier — das ist der Gegenstand von *St. Mawr*, *The Fox* und *The Ladybird*. Lawrence war wie kein anderer befähigt, die Zusammenhänge zwischen beiden aufzuspüren. Er legte im modernen Menschen die Tiefenschicht bloß, die einst der theriomorphe Mythos in seine Bilder gefaßt und gestaltet hatte.

D. H. Lawrence und Kerényi waren auf verschiedenen Gebieten tätig, und sie sind nicht einmal Altersgenossen. Aber sie spiegeln dieselbe Problematik. Beide sind sie auf der Suche nach der Urreligion, der Urmythologie, den uralten und doch immer gegenwärtigen. Denn weil sie für beide zum Ältesten und gleichzeitig zum Bestand menschlicher Existenz gehören, dürfen sie, wie soviel „Archaisches", nicht verloren gegangen sein. Urreligion ist immer vorhanden, ist ursprünglich im geschichtlichen und ontologischen Verstande. Sie bedarf nur des Erweckers und Künders, um jederzeit wieder aus den Tiefen hervorzubrechen, darin sie wohlverwahrt geschlummert hatte.

Die homerischen Götter bilden keinen Gegenstand einer solchen Urreligion. Noch weniger eignen sie sich dazu, verkündet zu werden. Ein Mensch, ein Zeitalter hat sie oder hat sie nicht; alles Weitere hieße sich mit zudringlichem Finger an Unberührbarem versuchen. Wer eine Urmythologie zur Anschauung bringen will, muß auf andere Bereiche zurückgreifen. Die vorhomerische und mehr noch: die vorindogermanische Zeit wird seine Domäne bilden müssen, oder wenn er Späteres heranzieht, alle die Epochen und die Kulturen, in denen Vorhomerisches wieder zum Durchbruch kam.

Es ist wie in der zeitgenössischen Plastik, wo immer sie daran geht, Antikes wachzurufen. Sie bleibt entweder in akademischem Klassizismus befangen oder, wenn ein echtes Gefühl für antike Körperlichkeit, antike Sinnenhaftigkeit aufzublühen vermag, geschieht dies nicht in klassischer, sondern in vorindogermanisch-altmittelländischer Form. Aristide Maillols „Europa" hat, so manches sie auch an überkommen Antikischem verwertet, keine wirklichen Beziehungen zu griechischer Kunst. Ihre Verwandten sind weder in Olympia noch auf der Akropolis zu suchen. Die Darstellungen des „fetten" Weibes im vorgeschichtlichen Malta und auf den altsteinzeitlichen Felsbildern Nordafrikas geben die Vorbilder, nicht zuletzt die mittelmeerische Frau selbst, die über Jahrhunderte und Jahrtausende hinweg ihr Unwiederholbares bewahrt hat. Es ist jener bezaubernde Typus, der dort und nur dort heimisch ist: von blühender und zugleich erdschwerfruchtbarer Gesamtform, die aber eine kleine, feste Brust, zarte Gelenke und einen schmalen, edlen Kopf nicht ausschließt. Er verkörpert die große Göttin jener uralten Religionen, die Jungfrau und Mutter, unerbittlich und gütig, wehrhaft und schenkend, tödlich und beglückend in einem war.

Ottos Tat war es, die Götterwelt Homers als die geistige Schöpfung des Griechentums herausgestellt zu haben. In ihr erwuchs eine Welt, einzig und unwiederholbar. Mochte sie von älteren Stufen ihren Ausgang nehmen, so blieb sie doch eine Neuschöpfung. Bei Kerényi dagegen waltet ein Bestreben, diese Einmaligkeit weniger zu unterstreichen als zu verwischen. Für ihn treten im Bild der klassischen Götter Züge in den Vordergrund, die eher unklassisch waren, die Homer nicht kannte oder nicht kennen wollte. Bezeichnend ist die Umwertung der Hermesgestalt: das Phallische, das er mit Silen gemein hat, der Liebhaber der gespenstischen Brimo, der Gott des Hades, der Kabir — sie alle rücken bei ihm in den Vordergrund. Das leuchtende, klare, plastische Bild des Gottes, wie Otto es hingestellt hatte, ist einer Erweichung verfallen, sein fester Kontur gelockert. Nicht die Gestaltung durch Homer, seine Neuschöpfung, sondern was

Hermes an Vorhomerischem hier und dort noch mit sich schleppt, scheint jetzt das Eigentliche zu bedeuten.

D. H. Lawrence hat, obwohl er sich auf die Griechen berief, niemals eine griechische Gottheit dargestellt. Eine Auseinandersetzung mit dem Griechentum fehlt. Kein Tragiker findet sich in seinen Briefen erwähnt und Platon nur einmal und beiläufig. In Sizilien erwacht der Wunsch, die Ilias zur Hand zu nehmen; aber wirklich gelesen hat er, so scheint es, allein Thukydides — auch ihn nur unter den Aspekten, die die Jahre nach dem ersten Weltkrieg an die Hand zu geben schienen. Sein Reiseleben, das Lawrence nach Italien und Mallorca, nach Australien und Mexiko führte, hat Griechenland nie berührt. Die Narzissenblüte auf Capri läßt flüchtig die Vorstellung einer griechischen, Sizilien die einer homerischen Landschaft aufsteigen. Doch selbst die Anklänge sind selten.

Aufschlußreich sind Mitteilungen seines Freundes Huxley. „Meine große Religion", sagte ihm Lawrence schon 1912, „ist der Glaube an Blut und Fleisch, die klüger sind als der Verstand. Mit unseren Gedanken können wir fehlgehen. Aber was das Blut fühlt und glaubt und sagt, ist immer wahr". Nichts könnte ungriechischer sein. Seine Heroen sind darum weniger die Griechen als die Etrusker. Er liebte sie, sagt Huxley, auch darum, weil sie hölzerne Tempel bauten, von denen nichts übriggeblieben ist. Die mathematische Genauigkeit des Parthenon hingegen sprach Lawrence nicht an. Alles Steinerne bedrückte ihn wegen der Unzerstörbarkeit des Materials, in dem sich die Kompromißlosigkeit der reinen geometrischen Form so restlos wiedergeben ließ. Überhaupt wehrte er sich gegen alles Vollendete, alles sorgfältig und gewissenhaft Ausgearbeitete; er lehnte den darin enthaltenen Anspruch — das *would-be,* um seinen Lieblingsausdruck anzuwenden — ab.

Kein Zweifel: die Berufung auf die Griechen war ein

Mißverständnis. Es sind andere Kulturen, die in ihm fruchtbar geworden sind. Das zeigt *The Woman who rode away*, vielleicht Lawrence geschlossenstes und fertigstes Werk. Hier und in *The Plumed serpent* sind es die Indianer Mexikos, die im Mittelpunkt stehen. Es geht um sie und es geht doch wieder nicht um sie, überhaupt um kein festumrissenes Volkstum mit seiner Religion. Auch diese Indianer sind nur ein Gleichnis für das ganz Andere, das Lawrence sucht. Nämlich für alles, was aus der Begrenztheit moderner Zivilisation herausführt; mag es in grenzenlose Weiten, mag es in unabsehbare Tiefen geleiten. Wenn die Frau, die davonritt, über einen langen, schmalen Felspfad in das Land jenseits, in das Land ihres ekstatischen Opfers gelangt, so war das mehr als ein Kunstgriff des Erzählers: es war Symbol.

Es war ein Einzelfall, der besprochen werden konnte, und notgedrungen muß er fürs Ganze stehen. Erneut hat sich gezeigt, daß der Roman die Auflösung einer bestehenden Form bedeutet. Die antike Überlieferung — eine der wenigen geprägten Formen, die unzerstört in unsere Zeit hineinragen — wird im Roman von Lawrence erweicht, ihres klaren Umrisses beraubt und zur Grundlage von Spekulationen gemacht, die ihn weit von ihr wegführen. Lawrence selbst hatte anderes im Sinn: er hielt sich für einen Vorkämpfer und Verfechter dessen, was ihm in Wirklichkeit unter den Händen zerrann. Aber das Gesetz der Gattung, dem er unterstand, war mächtiger als das, was ein Einzelner plante oder träumte. Es ist der Übergang von der plastischen Gestalt zum Ungreifbaren, vom Überlieferten zum Überlieferungslosen, von der geschlossenen zur offenen Form, was auch hier die Beziehung zum antiken Roman herstellt.

7

Napoleon bemerkte in Erfurt 1808 zu Wieland: „Eine gute Tragödie muß als die würdigste Schule hochstehender Männer betrachtet werden. Von einem bestimmten Standpunkt aus gesehen, steht sie höher als die Geschichtsschreibung. Selbst mit der besten Geschichtsdarstellung wird man immer nur eine geringe Wirkung erzielen. Der Mensch, wenn er allein ist, wird immer nur schwach bewegt sein. Aber viele Menschen zusammen erhalten Eindrücke, die stärker und dauernder sind."

Es ist Napoleons antiker Sinn, der sich in diesen Sätzen ausprägt. Er stellt das Bucherlebnis dem Gemeinschaftserlebnis gegenüber. Damit trifft seine Beobachtung das Entscheidende. Die attische Tragödie und Komödie wurden vor der Gesamtheit des Volkes gespielt. Das Epos, die Chorlyrik verlangten eine ritterliche Gesellschaft als Aufnehmende. Das Märchen kam vor einer lauschenden Hörerschar zum Vortrag. Die philosophische Lehrschrift ging auf die öffentliche Vorlesung zurück. Herodot hat es mit seinem Geschichtswerk ähnlich gehalten. Noch der sokratische Dialog war Spiegelung des lebendigen Gesprächs — eines Gesprächs zwischen lebendigen, einmaligen Menschen, nicht der Kampf zweier Lehrmeinungen. (Entsprechend bezeichnete Nietzsche die beiden Gesprächsbücher, Eckermann und das Mémorial von St. Helena, als „die paar guten Bücher, die von diesem Jahrhundert übrig bleiben werden, richtiger: die mit ihren Ästen über dieses Jahrhundert hinausreichen werden als Bäume, welche nicht in ihm ihre Wurzeln haben.") Aber mehr und mehr tritt die Veröffentlichung in Buchform an die Stelle der aufnehmenden Gemeinschaft. Zwischenformen tun nichts zur Sache: es kommt hier auf den Umschlag als solchen an. Denn der Roman steht ganz auf der anderen Seite.

Er war so recht die Schöpfung eines büchernen Zeitalters. Wenn irgendwo, so wurde bei dem Roman das Gemeinschaftserlebnis durch das Bucherlebnis ersetzt. Mit der Art der Aufnahme änderte sich auch das Publikum. Der Roman wurde nicht gehört, sondern gelesen. Obwohl auf einen breiten Leserkreis eingestellt und oft als Massenartikel hergestellt, führte er von der Gemeinsamkeit zur Einsamkeit (K. Kerényi).

Der Roman hatte sein Urbild im Leiden, Sterben und der Errettung des Gottes. Auch die älteren Gattungen besaßen ihre religiösen Ursprünge. Tragödie und Komödie erwuchsen innerhalb des Dionysoskultes. Der Iambos besaß seine Heimat im Kult der Demeter; die Chorlyrik hat sich vom Kult niemals gelöst. Die Satire, späte Schöpfung des Römertums, hat gleich dem Roman niemals zu den klassischen Gattungen gehört. Aber auch sie ging auf den Kult zurück (oben S. 31). Nur der Roman war, trotz seines religiösen Ursprungs, von anderer Art. Ihm fehlte die kultische Bindung und die kultische Gemeinschaft. Wenn er missionierende Absichten hatte, wandte er sich an den Einzelnen.

Die Veröffentlichung in Buchform hatte der Roman mit vielen Gattungen gemeinsam. Nicht nur mit der Geschichtsschreibung: spätestens seit dem Hellenismus erscheinen Buchepos, Buchlyrik und Buchtragödie. Aber der Roman tat noch einen Schritt darüber hinaus.

Der Inhalt des Romans ist erfunden. Nach antiker Anschauung war sie eine *ficta res*, ein *plásma*. Dem antiken Roman war ein Schema vorgegeben: zwei Liebende werden durch widrige Schicksale getrennt, um nach langer Prüfung und Irrfahrt sich endlich zu finden. Die Kunst des Verfassers lag in der überraschenden, spannenden, suggestiven Variierung des Grundthemas. In den Zeiten, da es noch keinen Roman gab, vertrat das Epos seine Stelle. Es behandelte mythische, gelegentlich auch geschichtliche Stoffe. Auch sie waren vorgegeben. Aber im Gegensatz zum Roman waren sie nicht fiktiv, sondern gaben eine anerkannte Wirklichkeit. Nicht die fesselnde Um- und Neugestaltung wurde verlangt, sondern die Durchdringung. Durch die Gestaltung des epischen Dichters sollte der Mythos nachdrücklicher und verpflichtender vor das Auge gestellt werden. Demgegenüber bleibt der Roman unverpflichtend. Er lebt in der bloßen Illusion.

Die Welt des Romans, so wurde gesagt, packt den Leser mit solcher Macht, daß sie ihm zeitweilig die wirkliche ersetzt. Der spanische Grande geht zu Besuch und findet den Gastfreund und dessen Familie in tiefer Trauer. „Amadis ist tot", sagt der Hausherr ... Im Romanhelden vermag der Leser sich selbst wiederzuerkennen. Der Held lebt dem Leser vor, er handelt für ihn und an seiner Stelle. Er enthebt ihn der eigenen Tätigkeit und der eigenen Verantwortung. Vor allem entführt der Roman aus der wirklichen Welt in die romanhafte. Seine Macht beruht auf dieser Fähigkeit. In Zeiten der Gefahr, der Krisen und des allgemeinen Niedergangs verlockt er dazu, aus einer bedrückenden Umgebung oder Gegenwart zu entfliehen, statt sie zu bestehen. Statt zur Tat aufzurufen, fordert er auf, in ein fernes und schöneres Traumland sich tragen zu lassen. Er setzt ein Ausweichen an die Stelle des Handelns.

Gewiß: der Roman kann auch von Gefahren erzählen. Aber sie treten in einer abgelösten, unwirklichen Zeit auf. Sie zaubern eine angenehme Bewegtheit hervor, und das Gruseln, das sie erwecken, wird im voraus durch das sich rechtzeitig einstellende Wissen um eine bloß bücherne Wirklichkeit oder durch das Vertrauen in das *happy end* aufgehoben. „Von seinem Lehnstuhl aus" sagt Balzac, soll der Leser die Schlacht bei Eßling miterleben (oben S. 17).

Es bleibt der geschichtliche Roman. Schon im Altertum geschätzt, wird er durch den Ninosroman, den sog. Pseudo-Kallisthenes, die mittelpersischen „Taten des Artachschir-i Papakan" und den gleichfalls mittelpersischen Roman des Bahram Tschobin (erhalten bei Tabari) vertreten. Alle behandeln zurückliegende, die ersten drei sogar weit zurückliegende Ereignisse, auch der Roman des Ardeschir. Unter Chosrau Parvez oder Jezdegerd III., wenn nicht noch später verfaßt, ruft er in einem Jahrhundert, da der Glanz des Reiches verblaßte, noch einmal die ruhmvollen Zeiten seines Gründers wach. Ja, man griff noch weiter zurück. In der dreisprachigen Inschrift Schapurs I. von der Ka'ba-i Zerduscht in Naksch-i Rustam sind: Sasan, der Eponymos der Sasaniden, „Urgroßvater und Stifter", Papak Großvater, Ardeschir und Schapur dessen Söhne. Der König spricht dementsprechend von seines Vaters, seines Großvaters und seiner Vorfahren Städtegründungen. Im Roman des Ardeschir hingegen ist Sasan erst durch eine Heirat in das Geschlecht des Papak gekommen. Ursprünglich war er einfacher Hirte, aber „Nachkomme des Dara, Sohn des Dara". Hier hatte das Bedürfnis nach dem wunderbaren Geheimnis der Abkunft den Anschluß an das erlauchte Haus der Achaimeniden zustandegebracht. Über Jahrhunderte der Niedrigkeit hinweg war die Verbindung mit den Zeiten persischer Größe hergestellt.

Auch der geschichtliche Roman bedeutet demnach die Flucht aus bedrückender Gegenwart in eine andere, ferne und bessere Welt. Dabei wird der Zeitpunkt möglichst weit zurückverlegt. Die griechische Dichtung der Kaiserzeit — soweit sie in der Wahl ihrer Stoffe frei war und nicht offiziellen Zwecken dienen mußte — hatte sich ein völliges Beschweigen der Gegenwart und der jüngsten Jahrhunderte auferlegt. Sie gab das erstaunliche Beispiel einer Literatur und eines Volkes, das sich ganz seiner großen Vergangenheit zugewandt hat und dort das Gegengewicht gegen die Misère der eigenen Gegenwart sucht. Gegenstände der römischen Geschichte wurden durchaus gemieden. Im Gegenteil: je weiter der Stoff zeitlich zurück oder räumlich in der Ferne lag, um so größere Teilnahme durfte er erwarten. Der Roman kam dieser Haltung weitgehend entgegen. Der Ninosroman vereinigt das Altertümliche mit dem Exotischen, während der Alexanderroman Großtaten der griechischen Geschichte zum Inhalt hat, denen das gegenwärtige und vergangene Rom nichts, wie man glaubte, entgegenstellen konnte.

Überhaupt darf der geschichtliche Roman in weitem Umfang als literarischer Ausdruck der Stimmung solcher Völker gelten, die unterdrückt oder doch von einstiger Größe zu geschichtlicher Bedeutungslosigkeit herabgesunken sind. Er wird zu einer Form, unter der sich der geistige Widerstand äußert. Schon unter achaimenidischer Herrschaft entstanden die ältesten Fassungen der Romane von Ninos und Semiramis, Sesostris und Nektanebos, in denen Assyrer, Babylonier und Ägypter ihre Nationalhelden und deren Taten feierten. In offener oder versteckter Form waren sie gegen das persische Herrenvolk gerichtet und suchten dessen Taten zugunsten der eigenen, größeren Vergangenheit herabzusetzen. Auch Manes der Phryger, von dem Plutarch im gleichen Zusammenhang berichtet, scheint der Reihe anzugehören. Freilich weiß man von seinem Fortleben nicht durch den Roman, sondern bisher nur durch Inschriften. Aus der arabischen Literatur läßt sich das Volksbuch von Baibars vergleichen. Der Mamelukensultan dieses Namens († 1277), eine der glänzendsten Gestalten der islamischen Geschichte, lebt in der Erinnerung des ägyptischen Volkes als der große Eroberer und erfolgreiche Streiter wider die Franken fort.

(Eine eigne Stellung nehmen die nachexilischen Juden ein. Während sie, ähnlich den anderen orientalischen Völkern, Moses zum nationalen Helden erhoben, dessen Geschichte mit romanhaften Zügen ausstatteten, und darin die eignen Ansprüche gegen die Ägypter verteidigten, gingen sie doch nie so weit wie die anderen, die das Schicksal der Unterwerfung mit ihnen teilten. Denn den Juden fehlte von vornherein der Welteroberer. Treffend kennzeichnet den Gegensatz Josephus in seiner Schrift gegen Apion. „Ihm hat Sesostris, der sagenumwobene Ägypterkönig, den Sinn verblendet", bemerkt er von seinem ägyptischen Widersacher. „Wir aber reden nie davon, daß unsere Könige David und Salomon sich viele Völker unterworfen haben." Dafür aber tritt, erstmalig in der Josephslegende, der Jude auf, der in fremdem Land und unter fremden Königen es zu hohen Ehren bringt und seine Verwandtschaft nachzieht. Noch eine zweite Besonderheit ist anzumerken. Als unter dem Eindruck der makkabäischen Erhebung der Haß gegen den übermächtigen Unterdrücker auflodert, da bedient sich Gott eines Weibes wie der Judith, um die Rache zu vollenden. Und ein Weib steht im Mittelpunkt auch des Esther-Romans. Es wendet seine Gunst des Großkönigs den jüdischen Untertanen zu und verhilft diesen zum Erfolg über ihre Neider und Gegner.)

Im Roman kann man, so wurde zuvor gesagt, leben. Auch im Geschichtsroman lebt man mit und in den Helden. Dem Leser ist es, solange er unter der Illusion steht, unverwehrt, selbst Ninos, Sesostris oder Alexander zu sein, ihre Entscheidungen und Taten mitzuleben, ja sie zu eigenen werden zu lassen. Sonst ist dieser Leser, als Untertan, meist damit befaßt, nicht immer willkommene Staats- und Militärlasten zu tragen. Er spürt es am eigenen Leib, wenn die Könige sich schlagen. In der Welt des Romans aber darf er nach Herzenslust selbst König sein. Er darf, gleichsam zur Entschädigung, Entschlüsse fassen statt sie unwillig und nörgelnd ausführen zu müssen. Er darf Heere führen, richten und strafen — und sich überdies noch an der eigenen Illusion berauschen.

Aber auch, wer sich mit Bescheidenerem begnügt und sich auf bloßes Miterleben beschränkt, kommt auf seine Rechnung. Der durchschnittliche Romanleser pflegt von den *arcana imperii* ausgeschlossen zu sein. Ohne Wissen von dem, was sich im Kreis der Führenden abspielt, aber von um so größerem Wissensdurst beseelt, erhält er in dem geschichtlichen Roman das, was er sich wünscht. Er erfährt, was er sonst nie zu erfahren pflegt. Er hört von der wirklichen, göttlichen oder sonstwie geheimnisvollen Abkunft der großen Herrscher und Helden, ihrer Kindheit, ihren Träumen und unerfüllten Wünschen — und vor allem: von ihren Liebeserlebnissen. Auch hier mündet der Roman in den Bereich ein, der ihm vor allem teuer ist.

Huizinga sprach zutreffend von dem „Erbauungsbedürfnis eines verworrenen Geschlechts". Napoleon von „jenem zweideutigen Stil, der den Roman in die Geschichte und die Geschichte in den Roman versetzt".

Beliebtheit des geschichtlichen Romans darf man nicht mit geschichtlichem Sinn verwechseln. Beide schließen sich vielmehr aus. Geschichtliche Betrachtung steht mit beiden Füßen in der Gegenwart. Von ihr geht sie aus, wie denn ohne sie Geschichte nicht möglich ist. Erst solche Gegenwart liefert gegenüber den vergangenen Ereignissen Maßstab und Ordnung, wählt sie aus und rückt sie in eine Perspektive. Der geschichtliche Roman dagegen bedeutet, wie der Roman überhaupt, eine Flucht aus der Gegenwart. Er bleibt ohne Bindung und er bleibt unverpflichtend — auch darin, daß er das Wißbare nicht von Erfindung und Willkür scheidet; daß ihm die Scheu vor dem Privaten und Allerprivatesten ebenso fehlt wie die Ehrfurcht vor dem Großen, an dem er sich mit zudringlichem Finger vergreift.

Dem Römer — wirklichkeitsfreudig und gegenwartsnah, politisch und geschichtlich denkend — konnte der Geschichtsroman dieser Art nicht zusagen. Petron und Apuleius standen in ihrer Zeit so, wie es ein gleichzeitiger Grieche nie getan hätte. Die Satire, vornehmlich politische und Zeitsatire, urrömisches Gewächs nach Art und Ursprung, gab von ihrem *acetum* dem Roman einen kräftigen Zuschuß ab. An die Stelle des geschichtlichen Romans scheint eine romanhafte Art der Geschichtsschreibung getreten zu sein, die sich gleich der Satire vornehmlich im Sittenbild auslebte. Sie scheute sich vor der Gegenwart nicht und wußte sich durch Eingehen auf die Skandalaffären der Kaiser und des Hofes schadlos zu halten. Ich wage es nicht, auf den vielerörterten Fragenbereich um Marius Maximus erneut einzugehen... Aber wenn die Bitterkeit eines Ammianus Marcellinus ihn und Juvenal als die Lieblingsbücher des stadtrömischen Adel namhaft macht, so mögen beide Autoren gerade in der Sittenschilderung sich nicht allzufern gestanden haben.

Eine Besonderheit — der es übrigens an modernen Parallelen nicht gefehlt hat — ist, daß der geschichtliche Roman es unternimmt, selbst Geschichte zu machen. Erscheinungsform und Wandel der Alexanderverehrung, teilweise des Alexanderwahnsinns, unter den römischen Kaisern haben noch nicht die Darstellung gefunden, die sie verdienen. Auch ist noch nicht untersucht, worauf ihr Alexanderbild jeweils zurückging. Schwerlich waren es die kritischen und auf sorgfältigem Quellenstudium beruhenden Geschichtsdarstellungen, die hier das Rennen machten; Caracalla zum mindesten kann die ihm eigentümliche Verbindung von Alexander- und Serapisverehrung durchaus dem geschichtlichen Roman verdankt haben. Für Pseudo-Kallisthenes war der Eroberer Asiens Gründer des alexandrinischen Serapiskultes. Und jüngst hat das Papyrusfragment eines Romans aus dem 3. Jahrhundert n. Chr. gezeigt, daß man sich schon vorher Alexander als Anbeter des Gottes dachte.

Der harte Zusammenprall von Romanwelt und Wirklichkeit hat das tatendurstige Dasein des Ritters aus der Mancha vergällt. Auch einem Kaiser war es, wie Caracalla zeigt, nicht beschieden, die romanhafte Traumwelt, die er im Busen trug, in die Wirklichkeit umzusetzen.

8

Die Eigenschaften des Romans, die zuvor aufgezählt wurden, vereinigen und steigern sich innerhalb des Bereiches, der die Seele des Romans zu umschließen scheint: dem der Liebe.

Man hat das Wesen des Romans als die „Suche nach dem Wunder" bezeichnet. Dabei gedachte man der Entstehung des griechischen Romans aus der Erzählung von den Leiden und der Rettung des Gottes. Man faßte das Wunder als göttliches, übernatürliches — als das Fabulose und Mirakelhafte, als das Wunder im handgreiflichsten Verstand. Aber man übersah einmal, daß das Wunder als solches in dem griechischen Roman keineswegs häufig vorkommt, und dann, daß das wahre Wunder die Liebe war. Im spätantiken Roman war das leidgeprüfte, getrennte und schließlich doch vereinigte Liebespaar der geradlinige Nachfolger des Paares Isis und Osiris. Von ihren göttlichen Vorgängern hatten die Liebenden nicht nur Art und Abfolge der Schicksale, sondern auch den Charakter des Außerordentlichen und Wunderbaren übernommen. Wie Isis und Osiris von den typhonischen Bereichen, so hebt sich der Bereich der Liebe von jener andersgearteten Welt ab, die den Roman erfüllt. Das Ungewisse und Geheimnisvolle, das Zweideutige, Fragliche, Flackernde, das Chaotische und Massenhafte — wie immer man es bezeichnen mag — bilden den dunklen Hintergrund, vor dem die Liebe als das Wunder der Wunder sich entfaltet und aufblüht.

Denn die Liebe ist es, die im Roman jene andere Welt überwindet. Sie befreit von ihrer Bedrohung und hebt ihre lastende Gegenwart auf. Im Bereich der Seele formt sich eine höhere Welt, die ein Gleichnis überirdischer Reinheit, überirdischer Entzückungen und Freuden bedeutet. Eine zärtliche Gebärde, eine halbe Wendung des Kopfes, die Andeutung eines Gefühles, ein verhaltenes Wort, oft nur ein Duft oder die flüchtige Erinnerung eines solchen genügen, um gegenüber dem brutalen Draußen das Wunder aufleuchten zu lassen.

Die Liebe ist der Zufluchtsort der empfindsamen,

scheuen Seelen, die unter jener anderen Welt leiden. Sie ist die Heilkraft, die die Wunden lindert, die Niedergedrückten tröstet. Sie bewirkt, daß der Mensch sich nie ganz verlassen zu fühlen braucht. Sie vermittelt die „süßen und erhabenen Freuden", die nach dem Worte Stendhals sonst nur Mozarts Musik und die Malerei Correggios gewähren.

Für den Roman ersetzt sie die göttliche Errettung, die ursprünglich den Abschluß bildete (oben S. 26 f.). Sie bedeutet die Erlösung. Die Religion des Romans, wenn man so sagen darf, ist der Glaube an die Liebe. Aber erst die Verbindung beider, der göttlichen Welt der Liebe und ihrer dämonischen Gegenwelt, machen den Roman voll und rund. Sie bedingen sich gegenseitig; sie bilden die Hälften, die zusammen erst das Ganze ergeben; sie bilden sein doppeltes Ich. Aus dieser Spannung zieht der Roman seine Kräfte, gestaltet er sich immer wieder von Neuem, lebt er.

Aber auch Licht und Schatten bedingen sich. Die Liebe gehört in einem Maße zu dem Roman, daß man sie sich kaum wegdenken kann. Sie bildet sein ständiges Thema, und oft ist sie das einzige. Nur wenige haben gewagt, davon abzugehen. Aber Allmacht gerät leicht in Gefahr, seelische Entleerung zu bedeuten. Die Beschränkung auf diesen einzigen Gegenstand, und mag er noch sovieler Erscheinungsformen fähig sein, bringt eine unerhörte Verarmung mit sich. Große und tiefe Dinge, die das menschliche Herz bewegen: die Götter, Staat und Vaterland, Heldentum und geistige Erkenntnis, das Ringen des Künstlers, Mutterschaft... geraten in Gefahr, außerhalb zu bleiben oder nur in Verbindung mit dem Thema Liebe zur Sprache zu kommen. Mehr noch: Liebe wird zu etwas, um dessentwillen allein es sich verlohnt, dazusein. Sie wird zum Inhalt und Gradmesser des Lebens. Das bedeutet eine nicht minder unerhörte Entwürdigung aller sonstigen Werte. „Das Schicksal einer tatenlosen Gesellschaft" nannte Napoleon die Liebe.

Gleich einem allzu glänzenden Firnis scheint sie sämtliche Bereiche und Gegenstände zu überziehen. Die Erzählungen des Alten Testaments, durch schlichte Großartigkeit wirkend, werden bei Josephus, Philon und im Testament der zwölf Patriarchen gleichsam erotisiert. Die Stimmung und die Kunstmittel des Romans beginnen auf die Geschichtsschreibung überzugreifen und sie zu erfüllen. Sie machen vor dem Bedeutenden ebensowenig Halt wie vor dem Heiligen und Ehrwürdigen.

Liebe ist die Domäne des Weibes. Liebe erfüllt es in einem Maß, das bei dem Mann nicht möglich wäre; Liebe bestimmt das Schicksal des Weibes. Die Herrschaft der Liebe besagt, daß das Weib beginnt, Mittelpunkt zu werden. Eine weibliche Sicht bahnt sich an. Der Mann wird zum zärtlichen Liebhaber; noch einen Schritt weiter, und er wird zum Spielzeug des Weibes. Eine Watteausche Welt zeichnet sich ab, und vom Longus zum Rokoko scheint manchmal kein weiter Weg. Eine Flut von Eroten ergießt sich über alle Werke der Kunst. Auf den Sarkophagreliefs, den Mosaiken, den Fresken, in den Gemäldebeschreibungen Philostrats begegnet man ihnen. Selbst in den Türleibungen und den Kuppelreliefs des Diokletianspalastes haben sie sich eingenistet.

Die kriegerische Epoche, die die der europäischen Dekadenz, des Nihilismus und Feminismus ablösen werde, kennzeichnet sich für Nietzsche durch den Wert, den man der „Leibestüchtigkeit" wieder beimißt. „Die Schätzungen werden psysischer, die Ernährungen fleischlicher", heißt es; „schöne Männer werden wieder möglich". Umgekehrt bemerkt Dion von Prusa einmal, daß in einer Verfallzeit wie seiner eignen die Schönheit der Männer abnehme, während die der Frauen steige. Dasselbe bedeutet auf anderer Ebene die Herrschaft des Liebesromans. Die Weiblichkeit stellt die Hauptmasse der Leser. Und wo dies zahlenmäßig sich nicht beweisen lassen sollte, bestimmen doch weibliche Neigungen und weiblicher Geschmack die Haltung des Romans.

Es ist eine bestimmte Seite des Weibes, die im Liebesroman hervortritt. Nicht Ehe und Mutterschaft, Haus und Familie stehen im Vordergrund. Wo Ehefragen behandelt werden, ist die Ehe meist bloße Gegenspielerin der Liebe. Nicht die Pflichten und Sorgen werden geschildert, das Sich-Schicken ins Gegebene, an dem sich nichts ändern läßt, sondern die Zeit der Verheißung und der scheinbar unbegrenzten Möglichkeiten. Grundsätzlich wird die Einstellung vertreten, als lägen alle Gefahren, alle Bedrohungen *vor* der endlichen Vereinigung des Liebespaares, als beginne danach das Glück, während in Wahrheit die Schwierigkeiten dann erst einzusetzen pflegen.

Wieder erweist sich der Roman als Schöpfung der offenen Form. Und indem er den Notwendigkeiten aus dem Wege zu gehen sucht, erweist er sich als unverpflichtend. Mehr noch: er ist auflösend. Zur Liebe gehören Sinnlichkeit, Raffinement... in der Kunst, der Mode und in der Literatur. Es gehört dazu der angenehme oder aufregende Wechsel, das Leben aus dem Vollen, das Schenken und Verschwenden. Oder in andere Richtung gewandt: das ungestörte Idyll. Alle Einstellungen haben gemeinsam, daß sie den harten Wirklichkeiten ausweichen.

Der passionierte Romanleser wird dazu geführt, den Roman im Leben zu suchen. Liebes- und Sexualträume werden von ihm der Wirklichkeit aufgedrängt. Er wird auch in seinem Dasein die unverpflichtende Haltung vorziehen, die Liebe und ihre Reize der Ehe, die Hoffnungen der Pflichterfüllung. Er wird das Wunder suchen, das der Roman ihn zu erwarten gelehrt hat. Aber die Wunder im menschlichen Dasein, wo sie eintreten, vollziehen sich meist in anderen Bereichen.

9

Noch einmal muß des arabischen Romans gedacht werden. Die Anfänge des Liebesromans reichen in frühomajadische Zeit zurück. Die heidnische Dichtung kannte nur die Liebesklagen, mit der jede Kasside (außer der Totenklage) eingeleitet wurde. Eine ursprüngliche und geschlossene Gesellschaftsordnung duldete Liebeserlebnisse nicht als dichterischen Gegenstand. Der Islam brachte ein erstes Sich-Auflehnen gegen die überlieferte Form der Eheschließung durch Entscheid des Vaters und Vormunds. Darauf entstand, noch um die Mitte des 1. Jahrhunderts d. H. eine arabische Liebesdichtung. Am Hof der Abbasiden fand sie ihre Fortsetzung. Gleichzeitig kam auch der Liebesroman auf. Madschnun, der „Verrückte", wirbt um Leila, wird aber von ihrem Vater abgewiesen und endet in Wahnsinn. Andere Liebesromane standen diesem vielgefeierten Buch zur Seite, deren Verfasser und Titel der Fihrist bewahrt hat.

Das Aufkommen des Liebesromanes fiel demnach mit der Lockerung bestehender Bräuche und Ordnungen zusammen. Der Roman als offene Form der Literatur ordnete sich wesensmäßig entsprechenden Erscheinungen innerhalb des gesellschaftlichen Aufbaues zu. Auch Entwicklungsromane entstanden in all den Zeiten, da bestehende Bindungen sich lösten. Sie führten weg von einem Zustand, da die Gemeinschaft im Besitz des Gewissen und Absoluten sich geborgen fühlte. Diese Romane waren Ausdruck des Auseinanderbrechens geltender Ordnungen, ein Zeichen dafür, daß diese zweifelhaft wurden und sich zersetzten.

So ordnet sich der Roman bestimmten Stufen der gesellschaftlichen Entwicklung zu. Eine Soziologie des Romans ist noch nicht geschrieben. Ihre Grundlinien auch nur andeuten, hieße den Rahmen dieses Versuches sprengen. Das Beste, was gesagt werden könnte, ist ohnedies bei Taine, in seinem Essai über Balzac oder im Schlußband seiner Englischen Literaturgeschichte, zu finden. Nur eines sei hier, wo es auf Wesentliches ankommt, hervorgehoben.

Den Abschluß jener gesellschaftlichen Entwicklung bedeutet die Weltstadt. Sie ist „das große steinerne Sinnbild des Formlosen... Sie zieht die Daseinsströme des ohnmächtigen Landes in sich hinein, Menschenmassen, die wie Dünen aus einer in die andere verweht werden, wie loser Sand zwischen den Steinen verrieseln". Romane gedeihen auf dem Boden einer späten großstädtischen Zivilisation am besten. Der alte Orient in seinen Endzeiten, die schon zerfallenden Metropolen des Zweistromlandes oder des Niltals; die stadtgebundene jüdische Diaspora im Osten, die Weltstädte der römischen Kaiserzeit und nicht zuletzt das Abendland während des 19. und 20. Jahrhunderts sind die geschichtlichen Bereiche, innerhalb deren Romane in Menge verlangt, hergestellt und gelesen werden.

Denn zum Roman gehört der städtische, entwurzelte und von keinen urwüchsigen Trieb mehr gelenkte Intellekt. Zu ihm gehört die Verbreitung und gleichzeitig die beginnende Verflachung der Bildung. Und um ein massenhaftes Bedürfnis nach dem Roman wachzurufen, müssen sich seelische Armut und ein unersättlicher Lesehunger zueinander gefunden haben, der mit geringster Anstrengung sich das anzueignen wünscht, was überall bereitliegt. Untrennbar davon ist eine Romantik, die mangelndem Sinn für die Wirklichkeit entspringt. Man kann kein großes Epos, keine strenge Tragödie, überhaupt nichts, was Zucht und Form verlangt, mehr hervorbringen; man mag das, was härtere Zeiten darin hervorgebracht haben, nicht mehr ertragen. Aus dem Abbau der alten Gattungen erwächst ein Gebilde, das eine feste Form nicht mehr kennt und nicht mehr will, und so das Gegenbild zu der Masse ergibt, die die Großstädte erfüllt.

Nietzsche zählt in der zweiten Nachschrift zum „Fall Wagner" auf: „der Niedergang der organisierenden Kraft, der Mißbrauch überlieferter Mittel ohne das rechtfertigende Vermögen, das zum-Zweck; die Falschmünzerei in der Nachbildung großer Formen, für die heute niemand stark, stolz, selbstgewiß, gesund genug ist; die Überlebendigkeit im Kleinsten; der Affekt um jeden Preis; das Raffinement als Ausdruck des verarmten Lebens; immer mehr Nerven an Stelle des Fleisches." Es handelt sich um die Züge, die Wagner mit den Musikern seiner Zeit, den Musikern der „décadence" gemeinsam waren. Man könnte den Kreis des Vergleichbaren getrost erweitern. Denn was da gesagt ist, gilt auch für den gleichzeitigen Roman, ebenso für den von gestern oder heute.

10

Es gibt Romane, die zu den klassischen Werken der Weltliteratur gehören. Nichts wäre verkehrter als den Roman seinem Wesen nach zu den Symptomen einer Kulturkrise rechnen zu wollen. Offene Form des Lebens und offene Form in der Literatur sind so legitim, wie alle geschichtlichen Erscheinungen es sind. Aber etwas anderes besagt es, wenn der Roman vorzugsweise oder ganz das Bild der Literatur, des geistigen Lebens überhaupt bestimmt. Wenn er das Fühlen und Denken einer Zeit ausfüllt, wenn er eine Macht darstellt.

Roman bedeutet Flucht in eine andere und eigene Welt. Er fordert dazu auf, sich von der drückenden und lästigen Gegenwart weg in ein besseres Land zu begeben. Verhängnisvoll wirkt sich dies in Kriegs- und Gefahrenzeiten aus. Wenn mit der Zunahme solch äußeren Drucks auch das Leben und Verfassen von Romanen zunimmt, so zeigt dies, daß zur äußeren die innere Krise getreten ist. Man hält dem äußeren Druck nicht mehr stand, man sucht ihn nicht zu überwinden, sondern weicht ihm aus. Man flieht aus seiner Zeit. Wie die Siebenschläfer der christlichen Legende zieht man sich, um der Decianischen Verfolgung zu entgehen, in die Höhe des Berges Celeus zurück. Man hofft, die Zeit der Bedrängnis unter angenehmen Träumen zu verschlafen. Um dann nach fast hundert Jahren „lieblich und schön, mit unbeschädigten Kleidern, das Antlitz gleich blühenden Rosen" (wie dieselbe Legende erzählt) wieder ans Licht zu treten.

Es ist auffällig, daß mit Ende des 2. und in der ersten Hälfte des 3. Jahrhunderts in der römischen Welt die Abfassung und ebensosehr die Aufnahme von Romanen einen ungewöhnlichen Aufschwung erfährt.

Ein Teil der handschriftlich und auf Papyrus erhaltenen Romane fällt früher. Chariton hat spätestens zu Beginn des 2. Jahrhunderts geschrieben. In die gleiche Zeit gehören vielleicht Xenophon von Ephesos und das griechische Original der *Historia Apollonii regis Tyri;* weiter die Papyrusfragmente des Kalligone-, des Metiochos-Parthenope- und des Herpyllis-Romans. Das Alter des Antonius Diogenes ist umstritten; man hat ihn sogar an das Ende des 1. Jahrhunderts versetzen wollen.

Manche Romane blieben auch in der Folgezeit beliebt. Von dem Herpyllis- und Metiochos-Parthenope-Roman sowie von Antonius Diogenes sind Papyri aus dem Übergang zum 3. Jahrhundert erhalten. In der Zeit zwischen Caracalla und Konstantin entstand die lateinische Übersetzung der *Historia Apollonii*. Aber stärker noch setzte die Neuschöpfung ein. Es sind die großen Romane aus der Reihe der spätgriechischen, die in vergleichsweise kurzer Zeit entstehen.

Als erster ist der Roman des Iamblich zu nennen, der unter den Kaiser Marcus gehört. Auch Achilles Tatios schrieb unter ihm oder unter Commodus. Als nächster wurde Philostrats Lebensbeschreibung des Apollonios von

Tyana auf Anregung der Julia Domna verfaßt. In das Jahrzehnt zwischen 220 und 230 ist vermutlich der christliche Clemensroman zu setzen. Die Aithiopika des Heliodor sind nach 233, aber noch vor der Jahrhundertmitte geschrieben. Nicht genauer bestimmen ließ sich bisher die Zeit des Longus. Aus dem 3. Jahrhundert stammt der Papyrus mit dem Dionys-Fragment, aus dem 3.—4. die Reste des Sesonchos-Romans. Damit ist freilich nur ein Terminus ante quem gegeben. Aber seit der Jahrhundertmitte ist mit Sicherheit kein neuer Roman mehr greifbar.

Denn der Alexander-Roman des Pseudo-Kallisthenes, dessen älteste erhaltene Fassung ums Jahr 300 fällt, steht nicht nur in Teilen wie der wunderbaren Geburt, sondern auch als Ganzes lediglich in der Nachfolge älterer Versuche. Er gewann seine geschichtliche Bedeutung erst, als er, ins Ritterliche und Aventürenhafte umgesetzt, ins Mittelpersische und von dort ins Syrische übertragen wurde. Aber damit steht man im 6. Jahrhundert, in einer Zeit, da der Glanz des Sasanidenreiches zur Neige ging. Hundert Jahre später erscheinen die „Taten des Artachschir-i Papakan" und der Roman des Bahram Tschobin (oben S. 48 f.). Sie rücken zeitlich mit dem Untergang der Sasaniden und ihrer ritterlichen Herrlichkeit zusammen. Wieder ist es so, daß sich der Roman in einer Zeit des Verfalls entfaltet...

Das Abbrechen des Romans um die Mitte des 3. Jahrhunderts ist kein Zufall. Der Höhepunkt ging zusammen mit der Herrschaft der Orientalen und ihrer Frauen. Die Romane spielen fast ausschließlich in der Osthälfte des Reiches; manche meiden den Westen geradezu bewußt. Ihre Verfasser, soweit man sie kennt, waren Syrer, wie Iamblich und Heliodor, Ägypter wie Achilles Tatios, der aus Alexandria stammte und den ägyptischen Tat-Hermes im Namen trägt. Julia Domna hat Philostrat zur Abfassung seines Apolloniosromans angeregt. Der Roman läßt sich nicht trennen von den literarischen und philosophischen Illusionisten nach Art des Favorinus, Philostrat und ihres Kreises. Oder der Illusionisten auf dem Thron: einem Commodus, Caracalla und Elagabal, die in ihrer eigenen Träumewelt lebten. Wenn die zuvor angedeutete Vermutung zutrifft, erwuchs Caracallas Alexanderwahn geradezu der Welt des Romans. Und in die gleiche Zeit fallen die Schwächlinge und Kinder auf dem Thron, ihre Frauen und Mütter als zeitweilige Lenker der Geschicke.

Seit der Jahrhundertmitte dagegen kommen die illyrischen Kaiser zur Herrschaft, ein hartes und kriegerisches Geschlecht. So leicht man sich Commodus und Caracalla, Severus Alexander und Gordianus III., eine Julia Domna, Soaemias oder Mamäa als Romanleser denken mag, so fern liegt diese Vorstellung bei Claudius, Aurelian, Probus. Ihre Welt war die wirkliche und die Tat. Geschehen und Handeln verließen die Traumwelt des Romans und gingen auf die Weltgeschichte über. Vor ihrer Unmittelbarkeit verblaßte alle Erfindung. Heldisches und Tragisches, Blut und Tränen mußten am eignen Leibe durchgemacht werden, und keine noch so suggestive Kunst vermochte es mit dem Erleben dieser neuen Wirklichkeit aufzunehmen.

Geschichtliches Schicksal fordert und nimmt aber den ganzen Menschen. Wer im Strom eines übermächtigen Geschehens lebt, muß meist auf große Dichtung verzichten. Das galt für die damalige Zeit ebenso wie für andere ihres Schlages.

Auch der Roman unterliegt der Zweiseitigkeit, die alles Geschichtliche bedingt. Offen nach Form und Inhalt, vermag er eine umfassende Welt in sich aufzunehmen. Aber diese Offenheit bedeutet zugleich Gestaltlosigkeit, zumindesten eine verminderte Gestaltungsfähigkeit. Beides — der Besitz einer Welt hier, das Fehlen eines prägenden Gesetzes, einer geschlossenen Form dort — besagen, daß der Roman in hervorragendem Maße geeignet ist, Ausdruck von Umbruchs- und Krisenzeiten zu werden. Demnach von Zeiten, da Altes sich auflöst, Neues und noch Ungestaltetes nach der ihm gemäßen Äußerung sucht. Eben darin treffen sich der spätantike und der moderne Roman.

Date Due

Oc 8 57			
Se 20 60			

Demco 293-5